# Criando Meninas

Gisela Preuschoff

EDITORA FUNDAMENTO

2009, Editora Fundamento Educacional Ltda.

Editor e edição de texto: Editora Fundamento
CTP e impressão: SVP – Gráfica Pallotti – Santa Maria

Produzido originalmente por Beustverlag


**Dados Internacionais de Catalogação na Publicação (CIP)**
(Câmara Brasileira do Livro, SP, Brasil)

Preuschoff, Gisela
Criando meninas / Gisela Preuschoff;
[versão brasileira da editora] – São Paulo, SP:
Editora Fundamento Educacional, 2009.

Título original : Mädchen!

1. Crianças – Criação 2. Feminilidade 3. Meninas – Psicologia 4. Mulheres – Educação 5. Pais e filhas I. Título

03-2999 CDD-155.433

**Índices para catálogo sistemático:**
1. Criação de meninas: Psicologia 155.433
2. Meninas: Criação: Psicologia 155.433

Fundação Biblioteca Nacional

Depósito legal na Biblioteca Nacional, conforme Decreto n.º 1.825, de dezembro de 1907.


Impresso no Brasil

Telefone: (41) 3015 9700
E-mail: info@editorafundamento.com.br
Site: www.editorafundamento.com.br

# Sumário

# Prefácio

Qualquer criança é, ao meu ver, um presente maravilhoso, único. Mas, apesar de toda a individualidade, há também diferenças gerais entre os sexos. Por exemplo, continuam sendo as mulheres que ficam grávidas. Mas há também peculiaridades menos evidentes que separam os sexos. Freqüentemente, são capacidades e características que estão numa harmonia sutil entre si e são tão maravilhosas que só nos resta ficar deslumbrados ao descobri-las.

As mulheres têm, por exemplo, o ouvido mais apurado que os homens e conseguem distinguir melhor os sons agudos, como é o caso das freqüências iguais ao choro de bebês. Já após a primeira semana de vida, as meninas conseguem distinguir, de outros sons, a voz da mãe ou o choro de outro bebê, característica que os meninos não possuem. Além disso, as mulheres têm melhor percepção visual de detalhes, uma capacidade que, no universo de uma criança pequena, é de grande importância.

Hoje em dia, pela primeira vez, existem áreas de pesquisa dedicadas somente à identificação das diferenças entre meninas e meninos, homens e mulheres. Seriam elas uma herança biológica ou fruto de condições sociais? Foram sobretudo as mulheres que constataram que, nas últimas décadas, na sociologia e na medicina, o objeto de estudo tem sido direcionado principalmente para meninos e homens. Muitas cientistas, a partir daí, contribuíram com pesquisas para que a ciência voltasse os seus olhares também para meninas e mulheres.

*Como lidamos com o sexo das nossas crianças?*

Ganhar um menino ou uma menina parece, sim, fazer uma diferença para nós, pais, além do desejo de que as nossas crianças nasçam saudáveis. Portanto, as perguntas decisivas que deveríamos fazer são: "Que conclusões tiramos do fato de nossa criança ser menino ou menina? E como vamos lidar com isso?"

O tema "menino ou menina" é aparentemente antigo, já que é abordado em muitos contos de fada, como em dois contos dos Irmãos Grimm, por exemplo: em "Os doze irmãos", o rei decide que todos os filhos devem morrer se a décima terceira criança for uma menina; em "O Rei Dragão", a rainha fica sabendo que, ao comer uma rosa vermelha ou branca, pode optar por ganhar uma menina ou um menino. Ela, então, decide por uma menina, porque um menino correria o risco de ter que ir para a guerra e morrer.

Até hoje, a questão "menino ou menina" mantém um papel significativo no planejamento familiar, em todos os cantos do planeta:

- Na Europa, conforme pesquisas, muitos casais voltam a preferir uma menina como primeira criança ao invés de um filho primogênito, talvez na esperança de que meninas cuidem melhor dos pais, quando idosos.
- Na China, os pais devem ter um único descendente, que, se possível, deve ser um menino. Meninas são indesejadas e, muitas vezes, abortadas.
- Em alguns países africanos, até hoje, a mutilação de partes da genitália feminina é costume.
- Cabem, aqui, algumas perguntas: "Que tipo de sexualidade é permitida hoje às mulheres e meninas? O que você pensa a esse respeito? Qual é a sua imagem de uma menina?" Responda às perguntas e compare a sua opinião com a do seu parceiro e também com as posições assumidas por outras pessoas. Afinal, trata-se de um tema muito importante: projeção.

O meu objetivo, caro leitor, é que você, ao ler este livro, fique receptivo ao que os especialistas chamam de "doing gender" ("construindo o gênero"): diferentemente de sexo, que é o sexo com o qual nasce uma criança, gênero é aquilo em que uma sociedade transforma uma criança. Ao darmos a nossas filhas o exemplo de determinados tipos de comportamento e mostrando a elas, através da mídia, através do nosso

próprio comportamento e da educação que recebem, o que significa ser mulher, contribuímos ativamente para a visão que elas têm de seu papel: estamos todos, portanto, "doing gender", isto é, ajudando a construir o gênero, no caso, o gênero feminino.

O que você deseja para sua filha? A partir de que idade ela passa a ser uma menina? Com quantos meses ou anos ela deve ganhar a primeira jóia verdadeira? E com que idade as suas orelhas devem ser furadas? Alguns pais têm idéias bem claras a esse respeito – e ninguém conseguirá que eles mudem.

*O que há de especial em ter uma filha?*

Outros nunca fizeram essa reflexão, mas provavelmente carregam-nas dentro de si, na forma de representações inconscientes.

> Com este livro, quero estimular você à reflexão. Em que sentido é um fato especial ter uma filha, uma menina? Que tipo de mulher pode ou deve tornar-se a sua filha? O seguinte experimento mostra a importância desta consideração: quando vestiram um grupo de bebês, dos dois sexos, com macacõezinhos de cores rosa e azul-claro e pediram a um grupo de pais, homens, para descrever as crianças, aquelas vestidas de cor rosa foram tratadas de maneira diferente daquelas de cor azul-claro. As crianças com macacões de cor rosa foram descritas como frágeis, bonitinhas, fofinhas e lindinhas, mesmo havendo alguns meninos entre elas, enquanto as de azul foram consideradas saudáveis, robustas, fortes e atentas – entre elas, várias meninas.

As reações das pessoas frente a bebês do sexo masculino e feminino são diferentes. E isso é totalmente normal, porque, afinal, existem diferenças. Entretanto, além das diferenças biológicas, há outras que são conseqüência de influências, expectativas e premissas culturais: em todas as sociedades e em todos os tempos existe algo que pode ser considerado como uma cultura de meninas, ou uma cultura do feminino. Nós podemos opor resistência, mas nunca ficaremos completamente livres disso. Só quando nós, como pais, ficarmos conscientes das representações e idéias que trazemos dentro de nós e da importância cultural delas, poderemos refletir ou, talvez, discutir sobre elas, aventurar-nos por novas trilhas ou andar por caminhos já experimentados.

Portanto, deveria ser claro para nós, desde o começo, que não podemos moldar as crianças de acordo com nossa vontade. Elas pertencem a si mesmas, tendo personalidade própria e destino único. Nós, como pais, temos a felicidade de poder acompanhá-las durante certo tempo. Para sermos bem-sucedidos, é importante que conheçamos também a nossa própria história de pai e mãe.

***Criando meninas*** – Este título é uma missão, não só para os pais, mas sobretudo para mim, a autora. Durante a leitura, você encontrará muitas dicas sobre como tratar e educar a sua filha. Para isso, recorri a episódios vividos com a minha própria filha, a conhecimentos científicos e a experiências de muitos pais, durante o meu trabalho de consultoria e em seminários. Pensei na menininha que eu fui e nas muitas meninas e mulheres que pude conhecer ao longo de minha vida.

Neste livro, também os homens, pais e irmãos, têm um papel decisivo. Entretanto, nunca li nada sobre isso em nenhum outro livro sobre meninas, embora toda menina, durante a vida inteira, seja acompanhada também nas experiências que tem pelos familiares do sexo masculino.

*Crianças não podem ser moldadas segundo a nossa vontade: elas pertencem a si mesmas!*

A mulher não pode ser definida sem considerar a contrapartida masculina, sendo que, obviamente, o contrário também é válido, assim como não existe o barulho sem o silêncio, a clareza sem a escuridão e o volume sem o vazio! E da mesma forma, não há filhas sem pais, mesmo que esses homens vivam, por algum motivo, separados da filha e/ ou tenham interrompido todo contato com ela.

Na maioria dos capítulos, não se fala de uma determinada faixa etária, mas de questões que aparecem independentemente do estágio de desenvolvimento da sua filha. Portanto, oriente-se, durante a leitura, pelos seus interesses atuais, sem se preocupar com a ordem dos capítulos.

Você tem uma menina, uma pequena personalidade, e esse presente precisa ser, no mais puro sentido da palavra, desenvolvido. Quero acompanhar você nessa caminhada, por meio do meu livro. Desejo chamar sua atenção para alguns perigos e como se prevenir contra eles, mas, principalmente, quero mostrar um bom caminho de convivência entre você e sua filha.

Além disso, desejo que este livro seja para você, leitor ou leitora, uma viagem de descobrimento às suas próprias raízes e idéias, para que reconheça as chances que o nascimento de uma menina pode representar para a sua vida.

*Gisela Preuschoff*

# Capítulo 1

# O que significa, hoje, feminilidade?

## Meninas e meninos: diferentes desde o começo

Muito tempo antes de um bebê vir ao mundo, na cabeça dos pais passa-se um verdadeiro filme: eles imaginam, com todas as cores, como será a vida deles com a criança e, muitas vezes, eles têm idéias bem concretas sobre que características terá, se for um menino ou uma menina. Isso é totalmente normal, além de ser prazeroso, e só aumenta a alegria de esperar por uma criança.

### Histórias do coração

Uma escritora, na década de oitenta, estando grávida de uma menina, escreveu no seu diário: "Tenho a sensação de que bastava somente tirar da gaveta a imagem pronta, porque a figura da menina estava perfeitamente

formada. Ela, na verdade, já nasceu, porque na minha imaginação ela tem forma: uma criatura bonita, forte, autoconfiante, cheia de vida e inteligente". Por outro lado, o pai dessa criança a imaginava mais como uma menininha comportada, meiga e fofinha, que ele poderia afagar e acarinhar.

Mas independentemente dessas imagens, os pais nunca deveriam esquecer que existem muitos preconceitos em relação aos sexos, e que as crianças reais se desenvolvem, geralmente, de maneira bem diferente das crianças imaginadas pelos pais. Nem sempre as meninas são calmas, carinhosas e comportadinhas, assim como os meninos não são automaticamente agitados, agressivos e inteligentes. Cada criança é única: ela vem ao mundo com uma personalidade inconfundível, mas é moldada também pelo ambiente.

Nesse contexto, as expectativas dos pais podem ter o efeito de profecias que se auto-realizam, sendo que os pais, freqüentemente, vêem somente o que eles querem ver, negando tudo o que for contrário. A maioria das mulheres grávidas de uma menina se identifica inteiramente com a criança na barriga, vendo o bebê como uma versão em miniatura de si mesma e sentindo uma simbiose forte com ele, seguindo o lema: nós somos a mesma coisa, queremos a mesma coisa e nos interessamos pelas mesmas coisas.

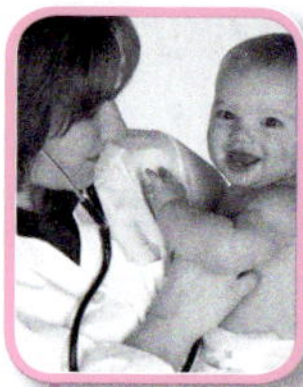

## Fatos científicos

Vamos, então, aos fatos biológicos.

Nas primeiras semanas da gravidez, quando as mulheres geralmente nem sabem ainda que estão grávidas, os embriões do sexo masculino e feminino parecem idênticos, porque possuem a estrutura básica dos dois órgãos sexuais. Eles se diferenciam somente pelos cromossomos sexuais, ou seja, XY em meninos e XX em meninas. O cromossomo X vem, nos dois casos, do óvulo da mãe, enquanto o espermatozóide do pai contém um cromossomo X ou um Y. Se o óvulo for fecundado por um cromossomo X, será uma menina, se for um cromossomo Y, será um menino. Aliás, no cromossomo X está a maior parte dos genes, aproximadamente 2.000, entre eles os genes da inteligência, enquanto os genes de fertilidade encontram-se no cromossomo Y.

Estatisticamente, são concebidos mais meninos que meninas, entretanto constatamos mais casos de abortos, ou natimortos, de fetos masculinos. Ninguém sabe exatamente qual é o motivo. Existem hipóteses: fetos do sexo masculino seriam mais sensíveis a influências do ambiente ou o sistema imunológico da mãe consideraria o feto masculino um corpo estranho, atacando-o, equivocadamente, como inimigo. Será que isso tem a ver com os pensamentos da mãe?

*Estatisticamente, são concebidos mais meninos que meninas, mas existem mais casos de abortos, ou natimortos, de fetos masculinos.*

## Fatos Científicos

Ainda quanto aos fatos biológicos: na sexta semana de gravidez, o cromossomo Y, masculino, dá a ordem para a formação dos testículos, enquanto o cromossomo X, feminino, dá início ao desenvolvimento dos ovários somente após 12 semanas. Testículos e ovários liberam, mais tarde, hormônios sexuais que participam da formação de características físicas, influenciando também, mais tarde, o comportamento.

Os hormônios "masculinos" chamam-se testosterona e androgênio, os "femininos", estrogênio e progesterona. Eu usei as aspas porque todos

*Com a diferenciação sexual, começa também o desenvolvimento diferente de estruturas cerebrais.*

esses hormônios se encontram tanto no organismo masculino quanto no feminino, embora em quantidades diferentes. Quando os psicólogos falam do "lado feminino" nos homens ou do "lado masculino" nas mulheres é a isso que se referem. Nós temos dentro de nós um lado masculino e outro feminino, e ambos devem ser utilizados!

Se o embrião tiver androgênio suficiente, crescerá um pênis, enquanto os órgãos sexuais femininos vão desaparecendo. No embrião de sexo feminino, vão se formar vagina, trompas e ovário, fazendo os órgãos sexuais masculinos murcharem. É interessante que no ovário do embrião feminino existam de seis a sete milhões de óvulos, número que é reduzido, porém, até a adolescência da menina, a quatrocentos mil.

Com a diferenciação sexual, também os cérebros dos embriões femininos e masculinos começam a se desenvolver de forma diferente. A diferença se nota com maior grau de clareza no hipotálamo, o centro hormonal situado na parte anterior e média do cérebro. A partir daí, são coordenadas muitas funções corporais, como excitação sexual, fome, sede, percepção de frio e calor e reações de luta ou fuga.

Nesse local, encontra-se também um amontoado de células do tamanho da cabeça de um alfinete, chamado de terceiro núcleo intersticial do hipotálamo anterior, o qual, nos meninos, possui duas vezes e meia mais células nervosas que nas meninas. Existem hipóteses de que ele coordene o desejo sexual. Enquanto nos lactentes esse amontoado de células é ainda do mesmo tamanho em meninos e meninas, após os dez anos de idade, ele começa a crescer somente nos meninos.

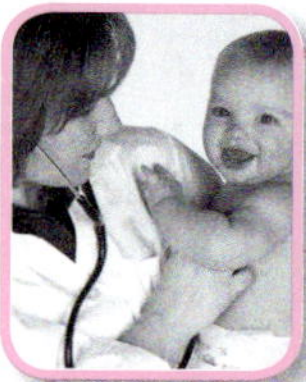

## Fatos científicos

A diferença mais discutida entre o cérebro masculino e o feminino é o feixe de fibras nervosas que liga o lado direito ao lado esquerdo do cérebro.

Essa ponte, chamada de corpo caloso, é, nas mulheres, significativamente maior, o que explica diferenças na maneira de pensar entre homens e mulheres. Meninas e mulheres utilizam os dois lados do cérebro simultaneamente, enquanto meninos e homens fazem uso somente de um lado de cada vez.

Está comprovado também que o lado esquerdo do cérebro se desenvolve mais rapidamente em meninas do que em meninos. Como é aí que se encontra o centro da expressão verbal, geralmente os meninos aprendem a falar mais tarde do que as meninas. O lado direito do cérebro, responsável pela solução de problemas espaciais e visuais, desenvolve-se mais tarde nas meninas. Por isso elas têm, freqüentemente, dificuldade em imaginar objetos de várias perspectivas ou quanto a orientação espacial.

O parto de um menino dura, em média, uma hora e meia a mais do que o parto de uma menina, talvez porque os meninos pesem, em média, cinco por cento a mais do que as meninas. Se uma menina, quando bebê, parece muito contente, o motivo pode ser o fato de ter corrido tudo bem durante o parto, sem traumas.

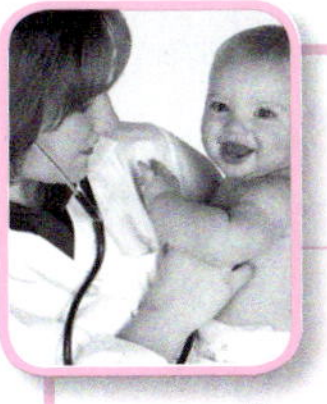

## FATOS CIENTÍFICOS

Em 1987, na Finlândia, os médicos notaram que o risco de meninos recém-nascidos terem valores baixos no exame de Apgar é 20 por cento maior do que para meninas. O esquema Apgar é um exame desenvolvido pela médica americana Virginia Apgar, o qual indica a vitalidade de um recém-nascido, aproximadamente um minuto após o parto; são medidos valores da respiração, da freqüência cardíaca, do tônus muscular, da aparência geral e dos reflexos.

Além disso, a freqüência de partos prematuros, anomalias mentais, doenças e acidentes é bem menor em meninas do que em meninos. Pais de meninas têm sorte: bebês do sexo feminino são simplesmente mais tenazes e resistentes. Sobre os motivos, só podem ser feitas hipóteses. Parece que os hormônios cortisol e testosterona, que são produzidos em situações de estresse e em maior quantidade por meninos, aumentam a susceptibilidade de bebês masculinos.

O fato de que as meninas, após o parto, sejam mais sociáveis, mantendo, por exemplo, o contato visual por mais tempo, talvez tenha a ver com a maior probabilidade de elas serem saudáveis. Elas têm também reações mais intensas a pessoas e barulhos, choram menos e podem ser acalmadas mais facilmente.

Já durante a gravidez, a formação da estrutura óssea dos embriões femininos está três semanas adiantada. No momento do parto, os bebês femininos têm uma vantagem de quatro a seis semanas no seu desenvolvimento sobre os bebês masculinos. Considerando que, na adolescência, a maioria das meninas está pelo menos dois anos à frente dos meninos, podemos imaginar que essas diferenças devem ter surgido muito cedo.

Existem, pois, claras diferenças biológicas entre meninos e meninas. Elas são fortalecidas ou amenizadas pelo comportamento dos pais e de todo o ambiente.

É interessante que as pessoas, vendo um grupo de bebês vestidos de macacõezinhos amarelos, não consigam identificar meninos e meninas, mesmo que afirmem o contrário. Mas, assim que têm certeza sobre o sexo da criança, a reação a meninas e meninos é diferente. Uma mãe anotou isso no diário sobre a filha que veio ao mundo no início dos anos oitenta: " – 'Ela fará o que quiser com os homens', disse minha amiga sobre minha menina, muito bonita, que acabava de nascer". E a mãe também tinha certeza de que uma mulher, para ter apenas o direito de existir neste mundo dos homens, tem que ser bonita. Continua sendo assim, até hoje?

A ditadura da moda e da beleza nunca foi tão marcante quanto hoje, e meninas sofrem mais que meninos, se elas, de uma ou outra maneira, não se encaixarem nos padrões vigentes. Voltarei mais tarde ao assunto. Mas qualquer um pode observar que os pais cuidam melhor das roupinhas e do penteado das meninas, despertando e fortalecendo nelas uma tendência, talvez inata, de se embelezarem.

Várias cientistas observaram que os pais cercam de mais cuidados as filhas pequenas do que os filhos pequenos. Isso porque talvez as pessoas achem que os homens sejam menos sensíveis e devam aprender a ser mais resistentes desde pequenos. E, realmente, as meninas são mais sensíveis que os meninos desde o nascimento, por exemplo, reagindo mais ativamente a contatos físicos.

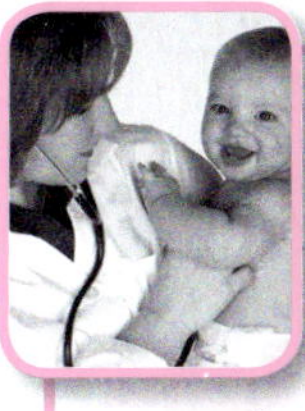

## Fatos científicos

A pele feminina é bem mais fina que a masculina e, aparentemente, as meninas sentem mais prazer ao serem tocadas. Os estudiosos do assunto dizem que a ocitocina é o hormônio que provoca a vontade de ser tocada e dispara os receptores do toque, sendo fora de dúvida que a mulher, com receptores dez vezes mais sensíveis que os do homem, dá maior importância aos carinhos que faz e recebe de seu companheiro e de seus filhos. Sendo assim, os pais conversam mais com os bebês-meninas, até porque elas parecem escutá-los mais atentamente. Meninas mantêm por mais tempo o contato visual do que os meninos, como se desafiassem os pais a sorrir e a comunicar-se verbalmente com elas.

Com dois meses de idade, todo bebê começa a distinguir as vozes de mulher das de homem. Junto com essa diferenciação, a criança começa a tirar outras conclusões, como por exemplo: voz grave significa rosto rude e pele grossa. Assim, a criança junta informações que, mais tarde, marcarão a sua idéia de "masculino" e "feminino".

Já na idade de seis meses, as meninas são mais independentes que os meninos; elas gostam de mexer com brinquedos e se consolam sozinhas, com um pedaço de pano ou chupando o dedo.

Entretanto, a diferença mais marcante é a velocidade com que as meninas se desenvolvem: o seu crescimento e aumento de peso são maiores do que nos meninos, e os caninos aparecem mais cedo.

Aos sete meses, as meninas não só conseguem se virar de um lado para outro e, em muitos casos, engatinhar, como também mostram muita habilidade ao mexer com uma colher, conseguem desenhar traços retos e fechar um zíper. As diferenças no desenvolvimento entre meninas e meninos da mesma idade continuam mais tarde. Na idade pré-escolar, as capacidades motoras das meninas são bem superiores às dos meninos. Além disso, as meninas começam a falar mais cedo e dispõem de um autocontrole melhor.

# Capítulo 2

# A criança sonhada e a criança real

Assim que a criança nascer, os pais deverão superar um desafio decisivo: eles têm que se despedir da criança sonhada e receber, aceitar e adotar a criança real com todas as suas peculiaridades, como aspecto físico, sexo e maneiras de se comportar.

Isso será mais difícil ainda se a criança que você tiver nos braços for bem diferente daquela que você esperava. Bebês charmosos e fofos, que, desde o começo, parecem calmos e contentes, têm uma aceitação fácil, mesmo que não correspondam à criança sonhada pelos pais.

Ao contrário, uma criança que chora sem parar, que veio ao mundo carequinha e vermelha como um tomate, dando a impressão de não querer, de jeito nenhum, fazer amizade com o mundo fora da barriga, cria uma série de problemas. Todas as fantasias imaginadas, construídas pelas maravilhosas fotos de bebês em revistas para pais, são desfeitas. Talvez seja uma menina, quando os pais preferiam um menino, ou, pior ainda, talvez o bebê tenha nascido antes da hora e corra o risco de ficar deficiente, ou talvez isso já seja uma certeza.

Minha avó costumava comentar tais reveses do destino com sabedoria: "Os homens pensam, Deus dirige". Ela se dedicou, profissionalmente,

durante toda a vida, ao trabalho com crianças deficientes.

As pessoas podem ter sucesso e mudar muitas coisas, mas estão longe de ter "tudo sob controle". A alguns pais acontece, entretanto, o contrário: eles ficam totalmente extasiados pela própria capacidade de amar. Jamais teriam imaginado que poderiam dar tanto amor a esse pequeno ser. Eles ficam surpresos, ao contemplar seu bebê, com a força profunda que vem das origens da vida e mergulha-os numa onda de amor.

Despedir-se da criança dos seus sonhos: este é o primeiro desafio de pais novos. Eu gostaria que você descobrisse que a criança que você recebeu é um grande presente.

A criança pequena é como ela é. Quanto mais você a amar, melhor ela se desenvolverá. Nos primeiros meses, isso significa, na prática, estar à disposição do bebê a todo momento. Buscar o contato físico com toques carinhosos e massagens, ter cuidados regulares e rotineiros, amamentá-lo, conversar com ele, pegá-lo no colo e dormir perto dele. O amor é, na verdade, uma atividade; e essa atividade é, nos primeiros meses de vida de uma criança, muito cansativa. Porém, os pais devem saber que é exatamente esse tipo de comportamento que formará a base para uma ligação segura. E uma ligação segura com os pais é, nos primeiros anos de vida, o pressuposto para todo o desenvolvimento mental e emocional da criança.

## Ligação afetiva e o desenvolvimento da criança

No início dos anos cinqüenta, John Bowlby examinou e observou crianças e órfãos que haviam passado pela guerra e desenvolveu, baseando-se nessa pesquisa, a chamada teoria da ligação. A teoria diz que crianças só conseguem desenvolver as suas capacidades da melhor forma possível se tiverem uma ligação confiável e segura com, no mínimo, uma pessoa de referência. O filme de Bowlby sobre uma menina de dois anos que estava sozinha e abandonada em um hospital causou sensação mundial. É a ele que devemos o fato de que hoje, nas salas de parto, raramente mães e crianças são separadas, que existe a possibilidade de acompanhar as crianças nos hospitais e que os pais sabem da importância de uma relação boa e estável para o desenvolvimento da criança.

*O bebê é ingênuo e indefeso e depende dos nossos cuidados.*

Mesmo em crianças prematuras, o desenvolvimento é menos problemático se elas tiverem a experiência de toques e contato físico. É interessante que os recém-nascidos tenham numerosas competências que lhes permitam tomar a iniciativa de entrar em contato com alguém, estabelecendo, assim, uma ligação. Intuitivamente, a maioria dos pais reage a esses sinais, estreitando cada vez mais os laços de amor.

Se você conseguir aceitar a sua criança como ela é, se você tiver condições de cuidar dela confiavelmente e se você lhe transmitir toda a segurança, aconchegando aquele corpinho ao seu corpo grande, então, essa criança receberá uma base estável para continuar o seu desenvolvimento como ser humano.

Todo bebê merece o máximo de amor: ele é ingênuo e indefeso e depende de todos os nossos cuidados. Dando-lhe o que ele deseja e aquilo de que precisa você fará o melhor possível por ele. Uma cientista alemã que há muitos anos vem examinando a convivência entre pais e bebês constatou que nenhum programa de aprendizagem ajuda mais os bebês a se desenvolverem do que aquilo que os pais fazem espontaneamente. O conhecimento acerca das competências que os bebês possuem desde o nascimento vem crescendo exponencialmente nos últimos anos. Mesmo assim, os pais não precisam fazer mais do que observar a criança e dar a ela o que ela quer. Do mesmo jeito que o ser na sua frente sente um impulso interior de crescer, de se desenvolver e de se apropriar de conhecimentos e capacidades, vocês, como pais, também têm competências inatas para ajudá-lo a se desenvolver. Siga o seu sentimento e a sua intuição e você fará tudo certo.

Verena Kast , uma psicóloga, chama a primeira relação com a mãe, que é reconfortante e intensa, de "complexo materno positivo". Analogamente, existe o "complexo paterno positivo". Conforme a teoria junguiana, um complexo surge por uma interação importante entre duas pessoas. Com certeza, você conhece o complexo de inferioridade, que surge quando uma pessoa é depreciada sistematicamente pelas pessoas do seu ambiente. Nenhuma pessoa "vale" menos do que outra. Mas, se alguém escuta a toda hora os outros falarem exatamente isso, ela acabará acreditando.

Pessoas que são marcadas por um complexo materno positivo sentem, de maneira natural, o direito de existir, são criativas e sabem "viver deixando os outros viverem". Elas conhecem o direito de serem tratadas com respeito, o direito de expressarem as necessidades do corpo e da alma, de se realizarem e de participarem dos bens da vida. Elas se sentem carregadas pela vida e sentem o prazer do corpo, da alimentação, da sexualidade, de estarem vivas.

Para as meninas, como para todas as pessoas, é preciso abandonar, um dia, essa relação estreita com a mãe, desenvolver o próprio eu e a própria personalidade. As meninas têm de enfrentar esse desafio na adolescência, se a mãe não morrer ou abandonar a família. Por causa da separação inevitável da mãe, realizada mais cedo pelos meninos e mais tarde pelas meninas, é importante a presença do pai. Existindo uma segunda pessoa que a cerca de cuidados, a criança consegue se desligar da simbiose estreita com a mãe e faz uma outra experiência: as relações podem ter tonalidades diferentes, já que a mamãe a trata de uma maneira, o papai de outra, embora os dois tenham qualidades diferentes.

Os pais respondem, por exemplo, a manifestações sonoras com outras manifestações sonoras e preferem formas de brincar que estimulem as crianças fisicamente, mudando abruptamente entre fases ativas e passivas. O estilo de brincar dos pais é mais excitante e muito apreciado pelas crianças.

*A presença do pai é importante também para as meninas.*

Assim, a criança pequena vai conhecendo vários tipos de relações e aprende a ter expectativas diferentes frente a elas. Não dependendo exclusivamente da mãe, ela enfrentará novas situações com mais facilidade e terá mais opções de reagir. Enquanto a menina pequena vê na mãe um ser parecido, do pai emana a fascinação do estranho, o que é, desde o começo, importante. Muitas mulheres vencedoras tiveram pais que as educaram para ter personalidades independentes e autônomas, e os quais, na visão dessas mulheres, eram atrativos, inteligentes, ambiciosos, ativos e liberais.

## Dizer sim e dizer não

Muitas mulheres adultas me confessaram que dizer "não" lhes custa bastante. Por isso, devemos nos conscientizar de que é importante saber dizer "sim" e "não", e também ter a possibilidade de fazê-lo dentro da família. Se nos aceitarmos, uns ao outros, como personalidades, poderemos tomar as decisões necessárias. Se a sua filha, no café-da-manhã, pedir um achocolatado e você não o tiver em casa, isso significa um "não". Ela

ficará decepcionada e se for pequena começará a reclamar e chorar pedindo o leitinho com chocolate.

Como você se sente quando acontece isso? Você diz a si mesma: é normal ficar decepcionada, como também é normal manifestar a decepção dessa maneira, chorando e pedindo? Ou você se sente culpada para com sua filha? Ou você se torna agressiva e impaciente?

Observe-se a si mesma em situações desse tipo e entenda que é permitido dizer "não" a uma criança. Mas, muitas vezes, você tem também que dizer "sim", porque cada sim é importante para o desenvolvimento da criança.

Algumas crianças vivem num mundo de proibições, o que prejudica o seu desenvolvimento e a sua inteligência: sujar-se numa poça d'água, subir em árvores, brincar com lama, desarrumar o armário das panelas, mexer com uma tesoura apropriada, cozinhar alguma coisa no fogão ... tudo isso deveria ser permitido a crianças.

Outras crianças, ao contrário, nunca conhecem limites e perdem, por isso, a orientação. Se tudo é permitido, uma criança torna-se profundamente insegura. Dizer "não", quando, por exemplo, ela quiser assistir à TV ou ela desejar uma certa camiseta, não faz mal, pelo contrário! Você também pode dizer "não" quando se sente cansada e exausta e precisa de uma pausa. Explique à criança por que, naquele momento, você não pode brincar com ela e quando você terá tempo de novo. Porém, você também deve aceitar um "não" da criança, se ela não quer vestir uma blusa vermelha ou se recusa a tocar flauta para a tia.

Em famílias em que é permitido dizer "não", também é possível dizer "sim", de coração. Assim, todos ficam à vontade, cada um pode, dentro dos seus limites, tomar as suas decisões.

## SEJA UM MODELO PARA SUA CRIANÇA!

Na convivência com crianças, é preciso se perguntar sempre: o que é importante para mim? Dando uma resposta a essa pergunta e conhecendo os nossos valores e critérios, definiremos as nossas prioridades. E isso terá conseqüências na convivência familiar.

*Crianças precisam de modelos: pense nisso quando você está prestes a falar mal de outras pessoas ou a desmentir as suas convicções.*

Quando eu e meu marido, num seminário para casais, pedimos aos participantes para listar e comparar os valores da vida deles, houve discussões acaloradas. É que muitas vezes até pessoas próximas têm valores diferentes! E existem valores tipicamente masculinos e femininos! Por isso, não agrida o seu companheiro se as diferenças parecerem grandes demais, mas procure pontos comuns. Converse sobre o que significa um determinado valor para você e escutem um a outro, sem se condenarem. Se vocês dois forem pessoas bem-humoradas, o jogo está quase ganho.

As suas crianças a julgam pelo exemplo que você dá a elas. Quem fuma um cigarro atrás de outro não tem nenhuma credibilidade ao exigir dos filhos um comportamento consciente em relação à saúde. E se você for brincalhão com as suas crianças, não precisa dar grandes explicações sobre a importância da alegria de viver. As crianças sentem isso!

A sinceridade é um valor que os adultos exigem muitas vezes das crianças, sem dar um bom exemplo.

Pense em quantas vezes você já mentiu e em quais situações você desmentiu as suas convicções. Um dia, as suas crianças vão querer conversar sobre isso com você. As nossas crianças nos fazem perguntas, forçando-nos a refletir sobre a nossa vida e os nossos valores. Isso é muito importante!

Mesmo se, numa conversa, você defender uma opinião totalmente oposta à da sua filha, ela se lembrará da conversa a vida inteira, se você a tratou com respeito e dignidade. E se ela contradiz você hoje, não significa que daqui a cinco anos ela não possa concordar com você.

Repetindo: crianças precisam de pessoas que lhes ensinem os valores através de exemplos! Como você fala sobre outras pessoas? O seu chefe é um idiota, a filha da vizinha é muito burrinha e aquele motorista, um imbecil desgraçado?

Observe-se e seja sincera com você mesma e com as suas crianças, assim, elas também serão sinceras com você. Uma pessoa que defende a sua opinião e as suas verdades pessoais autenticamente será sempre respeitada.

Lembro-me agora de um amigo, que foi um dos padrinhos de nosso casamento. Quando ainda não tínhamos filhos, uma vez ele nos visitou sem avisar, junto com a filha. Isso aconteceu nos anos setenta, quando, na Alemanha, não existiam ainda *punks*. Naquela ocasião, a mocinha vestia uma calça *jeans* toda furada, com um monte de coisas escritas, e uma blusa que chamava a atenção, tinha o cabelo pintado de um amarelo forte e acho também, não me lembro direito, que usava uma coleira de cachorro. O pai a tratou, durante toda a visita, com atenção e respeito. Eu o admirei infinitamente por isso. Sem gastar palavras, ele deixou claro o que é tolerância.

# Capítulo 3

# Os primeiros anos na vida de uma menina

## Desenvolvimento da fala em meninas

No desenvolvimento da fala, a maioria das meninas está bem à frente dos meninos. Enquanto meninas de dez meses já sabem falar três palavras, os meninos só conseguem falar uma, conforme as pesquisas.

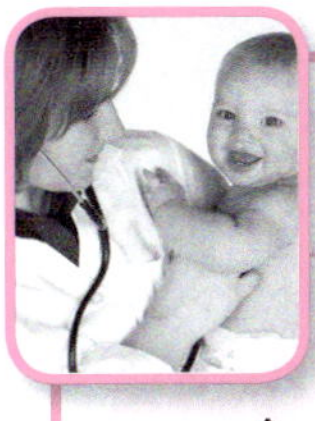

### Fatos científicos

Aos 18 meses, a metade das meninas já dispõe de um vocabulário de 56 palavras, enquanto a metade dos meninos só utiliza 28 palavras. As diferenças são confirmadas no vocabulário passivo.

Aos 16 meses, 50 por cento das meninas entendem 206 palavras, enquanto o mesmo percentual de meninos compreende somente 134. Só aos 20 meses de idade, muitos meninos se igualam às meninas.

É um fato irrefutável que as meninas dispõem, geralmente, de maior habilidade verbal, porque elas ativam mais cedo o lado esquerdo do cérebro, no qual está o centro da capacidade verbal.

Essas diferenças quanto aos resultados seguramente têm a ver com as diferenças entre cérebros femininos e masculinos. Entretanto, é impossível negar que os pais reajam às diferenças, estimulando melhor com o seu comportamento as atitudes verbais das filhas. Uma pesquisa americana mostrou que o número de palavras dirigidas pelos pais à criança, isto é, a "quantidade" de comunicação, permite uma previsão bastante exata acerca da futura inteligência, do sucesso escolar e das capacidades sociais da criança.

Sem dúvida, falar estimula o cérebro e ajuda a construir conexões que são indispensáveis para a futura inteligência, criatividade e capacidade de adaptação da criança. A fase de aquisição da fala é, portanto, marcada por efeitos alternados que, no decorrer dos anos, vão aparecendo ainda mais claramente.

Se houver condições de dar uma educação bilíngüe à criança, no caso, por exemplo, de mãe e pai não falarem a mesma língua nativa, não se deve perder a oportunidade. Nunca mais ela aprenderá uma língua de maneira tão fácil e espontânea quanto nos primeiros anos de vida. Além disso, a aprendizagem de uma segunda língua terá, em geral, efeitos positivos sobre a inteligência da criança.

*Só é possível estimular o desenvolvimento da fala falando; o mesmo não acontece com a utilização de cassetes, CDs ou vídeos. Os bebês só desenvolverão a capacidade comunicativa se eles obtiverem um retorno.*

Várias pesquisas mostram que, também nos jardins-de-infância, educadoras e educadores tratam de forma diferente meninas e meninos. Freqüentemente, os esforços verbais das meninas são apoiados, estimulando-se, assim, o seu talento natural na área.

Em geral, os pais dão os estímulos necessários espontaneamente, começando a falar com o bebê, explicando o que estão fazendo com ele, cantando para ele ou, mais tarde, lendo historinhas. Se não derem esses estímulos, o desenvolvimento da criança será retardado ou até interrompido, como acontece, por exemplo, com filhos de surdos-mudos, se não houver outra pessoa para assumir o papel que seria dos pais.

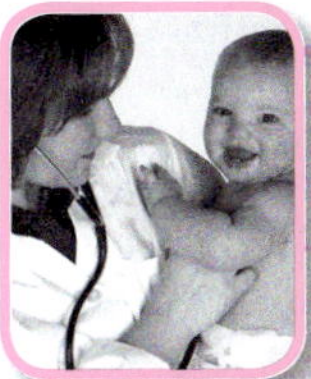

### FATOS CIENTÍFICOS

Uma vez, nos Estados Unidos, uma menina de 13 anos foi libertada de um cativeiro onde os seus pais a tinham mantido presa como um animal. Mesmo depois de obter os melhores cuidados possíveis em outro ambiente, ela nunca aprendeu a falar corretamente. E quem já não ouviu falar em Kaspar Hauser, um menino abandonado e de proveniência desconhecida, que apareceu em 1828, já adulto, em Nuremberg, na Alemanha, e que depois deu nome a um complexo considerado pela psicologia social do século XX um distúrbio de desenvolvimento?

## O QUE ESPORTE, MÚSICA E BARRO TÊM A VER COM INTELIGÊNCIA?

Uma criança recém-nascida tem aproximadamente 100 bilhões de células nervosas. Apenas uma pequena parte delas é conectada conforme um esquema determinado geneticamente. O resto fica esperando um bom programa de aprendizagem. Com a percepção através dos sentidos e com processos motores, vão sendo formados feixes no sistema nervoso que permitem à criança aprender e automatizar movimentos. Em bebês, podemos observar muito bem como isso acontece.

## Fatos científicos

Mais ou menos aos três meses, um bebê começa a observar as próprias mãos e aprende a levá-las à boca. Os olhos, a boca e as mãos são as partes do corpo que, através da percepção e de processos motores, permitem os primeiros movimentos direcionados. A repetição de um movimento com freqüência vai formando um feixe no sistema nervoso, o contato entre os nervos envolvidos é liberado, e o movimento é feito, mais tarde, automaticamente.

No quinto mês, o bebê aprende a pegar objetos. As sensações que emanam de um objeto são transmitidas, através das células nervosas e impulsos elétricos, diretamente ao cérebro. Na direção contrária, são mandados impulsos do cérebro aos músculos, o que permite movimentos direcionados. Apalpando e observando um objeto, a criança distingue formas e consistências, cores e materiais, aprendendo, dessa maneira, significados de palavras como bola, mamãe ou carro. Uma criança pequena aprende sempre partindo da percepção sensorial. Portanto, dê a sua filha objetos de vários materiais para que ela os apalpe: objetos lisos, moles, duros, leves... E, sobretudo, deixe-a brincar com barro, areia e água, para que ela experimente muitas espécies de movimento e de materiais.

Se sua filha toca, por exemplo, piano, todas as partes do cérebro são ativadas. Música, esporte, desenho, artes plásticas não são simplesmente atividades prazerosas, mas estimulam também a inteligência em geral, desde que sua filha se dedique a elas voluntariamente.

## Dizendo adeus às fraldas

A grande maioria das meninas pequenas se livra das fraldas cedo e sem problemas. Leve a sua filha ao banheiro com você se ela manifestar interesse. Mostre a ela o que você está fazendo e lhe peça que a imite se ela quiser; pode ser num penico ou no vaso sanitário.

Conheço poucos pais que não tiveram sucesso com o método "simplesmente tire as fraldas depois de conversar com a criança". Mesmo que, às vezes, tenha que ser feita uma limpeza rigorosa no tapete da sala, vale a pena experimentar esse método natural.

Quando se trata de higiene, a maioria dos pais observa que as meninas conseguem controlar a bexiga mais cedo do que os meninos. Conforme uma pesquisa, aos dois anos e meio, 30 por cento das meninas e somente 15 por cento dos meninos dispensam o uso de fraldas. Aos três anos, 70 por cento das meninas conseguem isso, enquanto apenas metade dos meninos chega ao mesmo resultado. Os estudiosos atribuem essas diferenças entre os sexos ao amadurecimento desigual do cérebro de meninos e meninas da mesma idade. Obviamente, todos os pais de meninas conhecem exceções.

Não exerça pressão: mais cedo ou mais tarde, a criança largará as fraldas.

De vez em quando aparecem, apesar de tudo, pequenas dificuldades; na maioria dos casos, trata-se de algum tipo de medo. Por exemplo, Marie achava que perdia uma parte do seu corpo vendo as secreções que saíam. A mãe não conseguia entender por que Marie gritava desesperadamente quando precisava ir ao banheiro, pedindo uma fralda. Mas, com explicações e observações tranqüilizantes na hora de usar o banheiro, o problema se resolveu rapidamente.

*É recomendável que a criança deixe de usar as fraldas principalmente no verão, para que ela perceba quando o xixi está saindo. Não exerça nenhum tipo de pressão e não se preocupe muito com o assunto. Mais cedo ou mais tarde, toda criança conseguirá largar as fraldas.*

Uma coisa os pais devem saber: as crianças que têm problemas para deixar as fraldas nunca querem irritar ou penalizar os pais. Talvez elas não entendam direito alguma coisa, estejam preocupadas ou tenham medo. Nessa fase, as crianças precisam sempre de paciência, sensibilidade e compreensão. Castigos, desprezo e risos inoportunos sempre causam o agravamento ou deslocamento do problema, dificultando cada vez mais uma solução.

## Meninas pequenas também se interessam pela sexualidade

*Quem pode explorar o próprio corpo, descontraidamente, não precisa ter inveja do pênis dos outros. Aliás, também as meninas conseguem urinar de pé.*

Enquanto os meninos têm o pênis claramente visível e gostam de apalpá-lo, desde pequenos, com toques prazerosos, os pais de meninas se esquecem, às vezes, de que a filha sente também prazer sexual. Quando as meninas ficam explorando os órgãos sexuais, os adultos, muitas vezes, proíbem ou avaliam a atitude como perigosa.

O que fica escondido atrás do que os chineses chamam de "porta do céu" é considerado, com toda a razão, o maior tesouro das mulheres: o clitóris, com as suas 8.000 fibras nervosas, tem tanta sensibilidade como nenhum outro lugar do corpo feminino e é muito mais sensível do que o pênis. A única função dele é dar prazer às mulheres, desde a adolescência até a idade avançada!

Natalie Angier escreve sobre o assunto, dizendo que é somente no clitóris que vemos um órgão sexual dedicado tão exclusivamente à sua

*Dê a sua filha a oportunidade de conhecer o corpo de mulher que ela tem, com todos os respectivos encantos femininos.*

função e à sua missão, de modo que as mulheres não precisam de nenhum brilho da lua para estimular ainda mais a lubrificação da vagina. Talvez seja por uma sabedoria da natureza que, normalmente, o clitóris fique escondido entre os grandes lábios; ele é, sob certo sentido, um tesouro privado, um segredo divino, uma caixa de Pandora, que não contém nenhum mal, que se apresenta, pelo contrário, pleno de prazer e de alegria.

As meninas pequenas descobrem essa parte maravilhosa do corpo muito cedo e sozinhas, e nós deveríamos, com simplicidade, dar oportunidade a elas de agirem assim.

Enquanto homens e meninos pequenos podem observar e apalpar os órgãos sexuais com muita facilidade, os das meninas estão escondidos. A maioria das mulheres nem sabe como ela é "entre as pernas", sendo que as diferenças individuais, neste local, são tão grandes quanto em outras partes do corpo. Deveríamos nos olhar com a ajuda de um espelho e dar essa oportunidade também a nossa filha. Ensine a sua filha, quando ela manifestar interesse, de onde sai o xixi, o que é o clitóris e através de qual abertura saem os bebês.

O nosso corpo é um milagre, e as nossas filhas devem saber disso antes que a propaganda lhes faça crer em outra coisa. E a diferença principal, em relação ao corpo masculino, é a capacidade de gestar uma criança e de parir nova vida humana. Só por isso, merece todo o respeito!

## AUTOCONTROLE: UMA CARACTERÍSTICA FEMININA?

Uma das principais diferenças entre meninos e meninas consiste em que as meninas aprendem mais facilmente com os próprios erros. De acordo com sua experiência, você confirma isso?

Uma psicóloga americana observou meninas e meninos de um ano de idade, na sala de espera de um médico. Enquanto os meninos agarravam, freqüentemente, os objetos que os pais tinham proibido que eles tocassem, as meninas, em geral, respeitavam a proibição. Eram simplesmente mais bem educadas?

Existe um experimento clássico para testar a memória e o controle de impulsos de bebês de oito meses de idade. Nele, um objeto é escondido em algum lugar e, depois, sob os olhos da criança, levado para outro lugar. Normalmente, as crianças procuram o objeto no lugar onde foi escondido. Ou elas esqueceram que foi levado para outro lugar ou não conseguem resistir ao impulso de procurar lá onde elas sempre tinham procurado. Em um estudo, bebês do sexo masculino e do sexo feminino, com o passar do tempo, conseguiram melhorar cada vez mais o desempenho no experimento; as meninas, entretanto, fizeram progressos visivelmente maiores.

Em geral, as meninas parecem conseguir se controlar melhor que os meninos. Podemos ver isso também, por exemplo, nos ataques de raiva que são normais em crianças de um ou dois anos e que, nessa idade, acontecem com a mesma freqüência em meninos e meninas. No terceiro ano de vida, porém, as meninas têm bem menos ataques de raiva e conseguem se integrar melhor no dia-a-dia do jardim-de-infância.

## Como lidar com os medos?

*Como todos os sentimentos, o medo também é útil e tem o seu sentido: ele nos prepara para situações difíceis e nos protege de perigos.*

Todas as crianças têm medo de vez em quando, sejam elas meninas ou meninos. Enquanto a sociedade espera dos homens que eles não mostrem os seus medos, as mulheres podem fazê-lo e, ainda mais, as meninas. Por isso, elas admitem ter medo mais facilmente do que meninos ou homens.

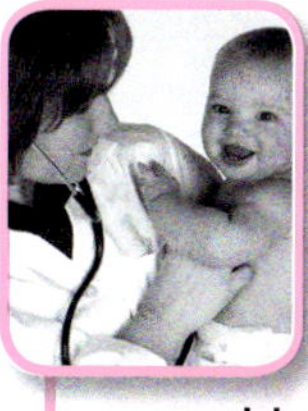

## FATOS CIENTÍFICOS

Um professor de psicologia de Harvard, em um estudo prospectivo, examinou os medos de meninos e meninas, constatando que já nos primeiros anos de vida as meninas são mais medrosas do que os meninos. Aos quatro meses, ambos os sexos reagiram com a mesma intensidade a estímulos desconhecidos, como um cheiro forte ou objetos luminosos em movimento, enquanto à idade de catorze meses foram observadas diferenças nítidas. Crianças medrosas tinham o batimento cardíaco acelerado e uma quantidade maior de hormônios de estresse no sangue, o rosto estava tenso e as pupilas dilatadas. São sinais para a atividade da amígdala, um nódulo do tamanho de uma amêndoa no sistema límbico do nosso cérebro, que registra e provoca o medo. Como os androgênios, hormônios masculinos, têm efeito sobre essas células nervosas, os meninos manifestam menos reações de medo.

Mas mesmo na opinião do professor, medos exagerados de meninas têm a ver também com os cuidados diferenciados dos pais ou dos responsáveis. Deixando que as crianças, sejam elas meninos ou meninas, passem por experiências totalmente normais, como, por exemplo, cair no chão ou escorregar, elas aprenderão também a lidar com deslizes desse tipo.

Foi observado também que os pais desestimulam freqüentemente as filhas pequenas, porque consideram certas atividades perigosas demais ou inaptas para meninas. Por exemplo, dizem muitas vezes aos meninos para que se defendam, enquanto as meninas aprendem a aceitar as coisas e oprimir a agressividade.

A raiva, sendo um sentimento que todos conhecem, tem também uma função: ajuda a nos defender e a encarar os nossos desafios, dando-nos coragem. Não é saudável oprimir a raiva. Raiva oprimida, mais cedo ou mais tarde, vai se manifestar em forma de dores de barriga ou de cabeça, mas também em forma de medos! Porque os nossos sentimentos ruins, que não nos são permitidos, inconscientemente retornam para nós, muitas vezes como "monstros" ou "o bicho-papão".

Nunca é demais enfatizar que o medo, como todos os outros sentimentos, é útil e tem o seu sentido. Representa uma advertência para estarmos atentos e para verificarmos bem as circunstâncias. O medo ajuda a que nos preparemos para situações difíceis ou desconhecidas. Em vez de nos deixarmos vencer pelo medo e ficarmos paralisados sem saber o que fazer, podemos tirar proveito do medo. Medo é energia que pode nos ajudar a resolver um problema e vencer um desafio.

Vejamos o medo de uma nova situação, por exemplo, uma consulta ao dentista. É totalmente normal ter medo de algo novo. Diga a sua filha: "Eu entendo que você tenha medo. Sempre quando fazemos ou experimentamos alguma coisa nova temos medo. É por isso que você deveria experimentá-la: somente assim você pode superar o seu medo". Explique a ela que o medo ajuda na preparação para uma situação. "Eu tenho medo e, mesmo assim, ajo." Esta é uma frase muito importante porque nos lembra a nossa própria força. Depois da consulta bem-sucedida, a criança se sentirá fortalecida: "Acabou! Apesar do meu medo, eu consegui! Eu superei o meu medo". Esse é um sentimento bom, incrível!

Quanto mais uma criança fizer essa experiência positiva, melhor lidará com o próprio medo. Lembre a sua filha de que, no começo, ela não queria andar de bicicleta, mas depois aprendeu, que ela sentia medo de água, mas hoje gosta de tomar banho de piscina, que ela não queria ir ao jardim-de-infância, mas agora adora ir.

Uma outra ajuda para lidar com o medo é a habilidade física. Descobrindo as forças do nosso corpo, aprendemos também a dominá-lo. Pode começar com brincadeiras simples que sobretudo os homens fazem com as filhas, por exemplo, levantando-as e fazendo-as "voar", e continuar com outras, como lutas e brincar de cavalinho. Em cursos de ginástica para pais e crianças, é possível aprender exercícios simples e prazerosos e, assim, você vai conhecendo as reações da sua filhinha. Por favor, não faça comparações! Siga a alegria infantil e continue a incentivar sua filha quanto a atividades físicas que, para ela, são desafios.

*Cantar é um remédio supereficiente para vencer o medo.*

Aliás, cantar também é um bom remédio contra o medo. Se você cantar bastante com sua filha, ela irá juntando um repertório de músicas que lhe poderá ser útil em muitas situações. Canções contra o medo encontram-se também em cassetes e CDs para crianças. Não deixe sua filha cantar sozinha, cantem juntas. A cada experiência de sucesso, a confiança da sua filha vai crescendo e o medo, diminuindo.

Um outro método comprovado para lidar com medos são exercícios de relaxamento. Quem conseguir relaxar, enfrentará situações que dão medo com mais autoconfiança.

Inclua, nas suas historinhas de ninar, as viagens de fantasia e os exercícios de relaxamento. Assim, você dará a sua filha um verdadeiro tesouro para a vida futura. Você achará muitas sugestões nesse sentido em qualquer biblioteca pública. Com certeza, você encontrará muitos livros, até ilustrados, que contam histórias de crianças que superaram os seus medos.

## VIAGEM DE FANTASIA

### *Visita ao meu anjo da guarda*

Procure uma posição bem confortável... e sinta a sua respiração, como ela vem e vai, sozinha... Sinta os pés... as pernas... o quadril, aí onde ele está em contato com o chão... e a sua barriga... deixe a barriga macia e sinta como é movida pela respiração... Sinta as costas... o peito... os ombros...E depois imagine que você, expirando, pode mandar a sua respiração através dos dois braços, até que o ar chegue nas pontas dos dedos... Faça aqui uma pausa mais demorada... Agora sinta o pescoço, a cabeça... o queixo... a bochecha, macia e relaxada... fique com a boca meio aberta... a língua fica bem relaxada, encostada no céu da boca... E agora, imagine que você manda o ar, ao expirar pela próxima vez, pelo corpo inteiro, até ele sair pelos dedinhos dos pés... E quando expirar de novo, você imagina que o ar vai borbulhando para fora da sua cabeça, como a de uma baleia... E agora, imagine que o ar da sua respiração tem uma cor, uma cor que, neste momento, faça bem a você... de maneira que, mais cedo ou mais tarde, você será embrulhada numa bola clara, de luz colorida...

Agora, você pode fazer uma viagem dentro da sua bola... para as estrelas ou para a lua... E, mais cedo ou mais tarde, você encontrará o seu anjo da guarda... Talvez você possa vê-lo ou você somente o imagine... Mas você sente essa sensação de segurança e de estar protegida... Talvez o seu anjo da guarda esteja mandando para você um pensamento, um consolo... uma palavra... ou uma imagem bonita... E, com a certeza de que, a qualquer momento, você pode fazer outra viagem para o seu anjo da guarda, você vai deslizando suavemente... dentro da sua bola, para a Terra... voltando para este quarto... E você vai se espreguiçando... e está de novo aqui, bem descansada e acordada.

## Os medos dos pais

Muitas vezes, os pais têm medo pelas crianças. Não é nada surpreendente, porque eles conhecem os numerosos perigos aos quais elas são expostas, hoje em dia. É um medo, até certo ponto, necessário porque sempre nos lembra que devemos levar a sério nossas obrigações de pais e proteger nossas crianças de perigos. As crianças têm de ficar com o cinto de segurança no carro, produtos de limpeza têm de ser trancados num lugar fora do alcance delas, água e bebidas quentes não podem estar ao alcance de uma criança pequena sem

*Crianças aprendem melhor fazendo experiências; num ambiente protegido, esta é a melhor proteção contra acidentes.*

algum adulto por perto, o acesso a uma piscina tem de ser fechado por uma cerca e muitas coisas mais. Pais responsáveis sabem de tudo isso, mas, mesmo assim, a maior parte dos acidentes com crianças acontece dentro de casa.

Entretanto, muitos pais não sabem que são exatamente as crianças sempre protegidas de experiências novas as que se acidentam mais facilmente. Uma criança precisa, por exemplo, aprender a cair para aprender a se apoiar na queda. Na nossa sociedade automotiva e sedentária, é preciso repetir sempre que cair é uma experiência importante para as crianças.

A melhor maneira de os pais protegerem a criança é ensinar a ela o que pode acontecer no dia-a-dia. Por isso, mostre a sua filha como se abre e se fecha uma porta, e onde existe o perigo de prender os dedos. Demonstre quando um bule de chá está quente e que um fósforo incendiado pode queimar, que um lado de uma faca é bem afiado e que é melhor descer do sofá primeiro com as pernas do que com a cabeça. Os pais protegem a criança se permitirem que suba em árvores, que desça de um barranco escorregando, que se equilibre em troncos de árvores derrubados, que brinque no barro e que ande de costas. Crianças aprendem fazendo experiências, e poder fazer experiências num ambiente protegido é a melhor garantia contra acidentes.

Com certeza, você já observou que existem crianças "travessas" e crianças mais "cautelosas", podendo tratar-se de meninas ou meninos. Crianças cautelosas deveriam ser encorajadas e estimuladas a viverem novas experiências. As "travessas" deveriam, ao contrário, poder fazer as experiências necessárias dentro de um ambiente protegido.

Caso sua filha seja uma "danadinha", apóie-a! Incentive o seu talento natural, mesmo se não se encaixar na imagem padrão de uma menina ou se não corresponder às suas próprias expectativas. Quem incentivar os pontos fortes de uma criança terá menos problemas do que aquele que tentar eliminar os pontos fracos. Que a alegria seja o seu norte!

Tudo que for permitido à criança, ela aprenderá, e com tudo o que ela aprender, ela ficará orgulhosa. O orgulho das próprias capacidades é a base de uma confiança estável no próprio valor. Essa é a melhor garantia de que a sua filha não terá culpas nem será uma vítima.

Quem tem culpa e quem é vítima geralmente tem pouca confiança no próprio valor. Nas próximas páginas, falarei disso outra vez.

Voltando aos medos: como lidar com eles? Há medos específicos relacionados ao sexo, e a tantas coisas mais.

Ninguém pode ficar totalmente livre dos medos. De vez em quando, esses medos vêm também a público: é quando, mais uma vez, uma menina desapareceu, sofreu abuso, foi estuprada e depois assassinada. Aflige-nos o mal que os homens, às vezes, fazem às mulheres e os pais, às suas filhas.

Primeiramente: assuma o seu medo. Não ajuda em nada querer oprimi-lo. Ao contrário: analise o seu medo, cuidadosamente. Qual é a fonte que o alimenta? Você tem experiências pessoais com violência (sexual)? Se for o caso, você deveria aprender a lidar com as suas experiências, com a ajuda de uma terapeuta, para que você não transmita os seus medos, inconscientemente, a sua filha. Somente dessa forma, o círculo fatal pode ser interrompido.

Se você não tem experiências próprias de violência, os seus medos se baseiam, talvez, em casos reportados em jornais, livros ou na TV. O homicídio de uma menina sempre é uma notícia de muito mais destaque do que o fato de, diariamente, muitas meninas perderem a vida em acidentes de carro ou morrerem de câncer. Isso significa que a mídia transmite a realidade de forma distorcida. Tenha, então, a consciência de que o seu medo foi eventualmente produzido pela mídia. Talvez seja bom lembrar que você anda de carro todo dia, mesmo sabendo que, estatisticamente, o perigo de se acidentar fatalmente seja maior do que o de ser vítima de um crime violento.

*Assuma os seus medos: oprimi-los não é uma solução.*

Uma escritora alemã escreve a esse respeito, dizendo que a preocupação contínua com pessoas que abusam de crianças, de um lado, sobrecarrega psicologicamente as crianças e ignora, por outro lado, que os culpados de abuso e estupro se encontram, na maioria dos casos, entre parentes e amigos próximos. Os medos e as medidas de prevenção são direcionados, então, para o lado errado. Quem entende do assunto enfatiza que a melhor proteção das crianças contra o abuso é a autoconfiança. Por isso, é preciso fortalecer a autoconfiança em vez de espalhar o medo que nos torna pequenos.

Sempre existe a possibilidade de perdermos as nossas crianças. Isso deveria ser motivo para aproveitar mais cada dia que passamos com elas. Não há melhor proteção que confiança e otimismo. E todas as vezes que rimos juntos são momentos importantes. Se você soubesse que amanhã sua filha iria morrer, o que você faria de diferente?

Alguns pais, e especialmente os homens, se tornaram inseguros porque a sensibilidade acerca do tema abuso sexual levou algumas pessoas, no passado, também a acusações infundadas. O que os homens podem fazer com suas filhas e o que está proibido? Por favor, não se deixe desequilibrar por notícias e relatos na mídia. Realmente, existe abuso sexual por parte dos pais, mas isso não surge do nada, está, ao contrário, ligado a certas formas de relações e ao contexto familiar.

*O adulto sempre tem a responsabilidade pela criança, especialmente quando se trata da sexualidade dela.*

Existe uma regra muito simples de terapia familiar que sempre é válida: os limites entre as gerações sempre têm de ser respeitados. Você, como adulto, tem a obrigação e a responsabilidade de impor limites.

Você, como pai, pode ser tão afetuoso com sua filha quanto ela quiser. Tudo aquilo de que vocês dois gostarem está permitido. Se acontecer de você sentir excitação sexual, o que é realmente possível, então, a sua obrigação de pai é colocar um limite e parar imediatamente com a brincadeira. Sexualidade infantil e sexualidade adulta não podem ser misturadas, porque as crianças não sabem o que faz bem a elas. Elas são submissas aos seus pais e dependem deles. O adulto sempre tem a responsabilidade pela criança, porque dispõe de mais experiência de vida e é, em todos os sentidos, o "mais forte".

Algumas meninas pequenas já sabem perfeitamente como seduzir os pais. Elas possuem um charme irresistível. Nesses casos, ainda mais, você como pai precisa colocar limites que correspondam à responsabilidade que você assumiu. Não deixe que sua filha faça com você o que ela quiser, mas também não a rejeite bruscamente. Diga com toda a clareza: "Não, eu não quero isso". Não são necessárias justificativas mais detalhadas.

*Em tudo o que se refere a crianças, você nunca deveria esquecer que o sentido da existência das crianças não é dar alegria a nós, os adultos.*

Por favor, não se esqueça, em nenhum momento, de que as crianças não vieram a este mundo só para nos dar alegria. O pai de uma paciente minha, por exemplo, obrigava a filha a dançar na sua frente. Ele achava bonito, mas ela não. Isso também é um abuso. Um outro pai queria que ele e sua filha se fizessem carinhos de uma determinada forma. Sempre quando forçamos as crianças a algo que nós queremos, porque é bom para nós, estamos abusando delas. Mesmo se for somente um beijo que damos ou pedimos, sem perguntar à criança e sem que ela o queira!

Enquanto você, como pai, estimar e respeitar sua filha, conhecendo bem a si mesmo, com os seus pontos fortes e fracos, você não precisa ficar pensativo ou preocupado e pode dar a sua filha todo o carinho e toda a ternura.

## Como proteger sua filha?

A melhor proteção que você pode dar a sua filha é ensinar-lhe a ter confiança no próprio valor. Isto é, considerar-se uma pessoa corajosa, independente do aspecto físico, das capacidades e do rendimento. Se eu me sentir uma pessoa corajosa, defenderei melhor os meus direitos e o meu corpo. Obviamente, toda mulher pode tornar-se vítima de um crime violento, mas é um perigo, estatisticamente, muito pouco provável.

> Quando crianças, freqüentemente brincávamos de "Quem tem medo do homem de preto?". Era isso que um grupo, posicionado numa fila, gritava para o outro em frente.
>
> – " Ninguém!", respondiam os outros, também gritando.
>
> – "E se ele vier?"
>
> – "Ele vem? E daí?". Depois, cada um tinha que correr, tentando chegar ao outro lado, sem ser agarrado por uma criança do outro grupo.
>
> Infelizmente, esse jogo saiu um pouco de moda na Alemanha de hoje. Mas se sua filha praticar um esporte coletivo, ela fará experiências parecidas.

Permita a sua filha expressar todos os seus sentimentos, especialmente os chamados negativos, como ciúme, raiva e ira. Agressões ajudam a nos defender e a vencer na vida. Nós, mulheres, podemos tê-las e deveríamos vivê-las abertamente e sem ressentimentos! Em tempos passados, muitas vezes era proibido às meninas opor resistência, levantar a voz ou ter atitudes drásticas. Entretanto, é de fundamental importância para a nossa saúde que possamos exteriorizar os sentimentos autênticos. Ensine a sua filha que ela pode dizer "não" e que tem o direito da determinação sobre o próprio corpo. Nunca mande que ela dê beijinhos em ninguém! Não a faça sentar-se no colo de alguém quando ela não quer!

Em cursos de especialização para educadoras, sempre me é relatado que muitos pais acompanham as filhas a todos os lugares, de carro, porque eles têm medo de estupradores. Eu não acredito que, com essa atitude, você esteja agindo em favor de sua filha. É melhor ensiná-la a gritar, dar chutes e se defender. As nossas inibições femininas, muitas vezes, nos prejudicam.

Existe um estudo em que cientistas filmaram, em Nova York, pedestres comuns andando pela rua. As imagens foram mostradas a presidiários. Eles deviam indicar quais pessoas poderiam ser escolhidas como vítimas. Os resultados foram significativos. As pessoas escolhidas como vítimas potenciais foram sempre as mesmas. Elas se destacaram por uma linguagem corporal que expressava fragilidade, confusão e insegurança.

Ajude sua filha a sentir prazer no movimento, na expressão corporal e na autodefesa e a cuidar do corpo como de um templo!

Aliás, o pai pode fazer muito para que a filha tenha confiança no próprio valor. Se uma menina se sentir amada e respeitada por seu pai, isso terá muito mais valor do que um enxoval de tempos passados. Porém, é preciso que a filha decifre esse amor e esse respeito no seu comportamento, porque palavras sem ações são vazias. Quem diz à filha que ela é fantástica, mas pergunta, ao mesmo tempo, por que ela não conseguiu uma nota melhor em inglês ou por que ela não conseguiu saltar mais alto na aula de educação física, não é coerente. Passe muito tempo com sua filha, dê-lhe reconhecimento por aquilo que ela conseguiu e ensine-lhe as coisas que você puder, como pai. Não sei quais são as suas capacidades especiais, mas posso prometer a você que são exatamente as de que sua filha precisa!

## Histórias do coração

Eu tive um pai muito carinhoso e, por isso, posso dizer a você como sentia o amor dele: ele separou muitos dos meus desenhos de criança, guardando-os como um tesouro. Ele passeava muito comigo, segurando a minha mão, um sentimento prazeroso que continuo sentindo até hoje. Ele lia para mim contos de fada e outras histórias. Ele me ensinou muitas coisas sobre animais e plantas; eu memorizei quase tudo. Ele permitia que eu e meu irmão mais novo pudéssemos estar, sem fazer barulho, no quarto de estudos dele, enquanto ele estava sentado na sua mesa, trabalhando.

Isso nos dava a sensação de sermos importantes. Ele nos cantava músicas e brincava conosco: são cenas que estão presentes em mim até hoje. Mais tarde, ele tentava ajudar nas tarefas de matemática, infelizmente sem sucesso. Ele escrevia à máquina as redações que eu tinha feito no colégio e as guardava. Ele ia ao colégio para conversar com as minhas professoras, negociando com elas até que me deixassem passar de ano. Sempre estava disposto a responder às minhas perguntas e a consultar livros quando ele não sabia as respostas. Ele tentava me preservar de coisas ruins e sempre dava a opinião dele, mesmo sem que eu tivesse pedido. Naquela época, muitas vezes, eu nem queria ouvir. Às vezes, até torcia a cara. Entretanto, hoje eu sei que, na maioria dos casos, ele simplesmente tinha razão.

Já na mais tenra idade, aparecem oportunidades de fortalecer a confiança de sua filha quanto ao próprio valor. Não tenha sempre pressa em ajudá-la, mas deixe sua filha achar um caminho com as próprias forças. Se ela, por exemplo, empilhar blocos de madeira um sobre outro, chegará o momento em que a torre ficará alta demais, perderá o equilíbrio e cairá. Aqui cabe uma observação intermediária: brincar com blocos de madeira estimula a capacidade da visão espacial. É também totalmente normal que crianças pequenas caiam quando aprendem a andar: elas vão caindo e levantando até conseguirem aprender. São experiências irrenunciáveis também para meninas pequenas, porque fortalecem a consciência que elas têm do próprio valor e a autoconfiança.

Observe sua filha e procure conhecer os seus interesses e talentos. Apóie-a no que ela gosta de fazer e sugira experimentar o novo. Mas, por mais que incentive uma pessoa, você não conseguirá que uma criança cautelosa fique travessa. Sempre haverá crianças que, sozinhas, não conseguem se defender bem e que, por isso, precisam da nossa proteção especial.

Uma criança sente que é amada e que tem valor se os pais cuidarem dela de modo que inspirem confiança, se lhe derem colo, se a tocarem carinhosamente e se levarem a sério as suas necessidades. Cada menina só pode desenvolver confiança no próprio valor se ela sentir o amor incondicional dos pais, um amor que se baseia unicamente no seu valor como ser humano e que não é medido conforme rendimento ou aspecto físico.

Assim, a confiança de uma criança no próprio valor vai crescer também em momentos nos quais ela fracassar, ou não estiver tão alegre quanto tínhamos esperado, ou não render na escola ou tiver uma aparência diferente da esperada, mas nos quais, apesar de tudo, ela sentir claramente: meus pais me amam assim como eu sou!

Como uma menina sente o amor dos pais? Sabendo que eles cuidam bem dela, que têm tempo para ela, que manifestam interesse pelo que está fazendo e que expressam o seu afeto por ela. No fundo, muito simples, não é verdade? Você tem que tratar a sua filha simplesmente como a sua melhor amiga: com respeito, atenção e dignidade.

Quando nossa filha desenhar a primeira linha reta, vamos elogiá-la: "Você conseguiu! Você está desenhando!". A nossa alegria será um incentivo para ela e chegará o momento em que ela conseguirá desenhar o primeiro círculo: mais um passo no seu desenvolvimento. Se nós acompanharmos a vida da nossa filha, observando-a, percebendo-a, notando e apreciando os seus progressos, ela se sentirá bem e continuará progredindo.

Num estudo, pediram aos pais que reunissem as partes de um quebra-cabeça, juntamente com suas filhas e seus filhos. Quando os meninos tiveram um ataque de raiva, os pais os ignoraram, continuando a se concentrar na solução do problema. As meninas, ao contrário, quando começaram a chorar, foram consoladas com afirmações como "Isso não importa, meu amor". Além disso, os pais ajudaram muito mais as meninas.

Se as meninas pequenas tiverem muitas experiências desse tipo, com o tempo acabarão se esforçando menos e adquirirão atitudes de quem não consegue fazer nada. A confiança no próprio valor, assim, não crescerá. Por outro lado, se nós deixarmos que a menina tente encaixar as partes do quebra-cabeça com calma, em algum momento o sucesso virá sozinho e a criança ficará orgulhosa de si mesma.

*Críticas não objetivas e observações depreciativas enfraquecem a confiança das crianças no próprio valor.*

O que prejudica muito são críticas, avaliações negativas, observações depreciativas ou irônicas e ignorância. As conseqüências desses verdadeiros ataques à confiança das crianças no próprio valor, cujos autores muitas vezes são os adultos e, infelizmente, até pedagogos, são devastadoras e prejudicam as crianças por muito tempo.

A esta altura, eu queria deixar bem claro que acredito que assistir à televisão prejudica as crianças pequenas. Primeiro, porque a televisão impede que elas se dediquem a atividades práticas e são estas que fazem surgir a confiança no próprio valor. Depois, porque as imagens da televisão, que nos inundam, cobrem as imagens próprias, interiores, limitando, assim, a própria fantasia e imaginação. Mas é exatamente a imaginação que é a base de toda inteligência criativa. Quanto mais nos dedicarmos a atividades criativas maior o valor que atribuiremos a nós mesmos. É por isso que é tão importante dar às crianças menos "objetos prontos" para brincar e, pelo contrário, deixar que elas mesmas produzam objetos, experimentando com eles a criatividade.

## Histórias do coração

Astrid Lindgren escreveu uma história muito bonita a esse respeito: "A princesa que não queria brincar". Nesse conto de fadas, uma princesa cercada de todo tipo de cuidados fica terrivelmente entediada no seu palácio. Rodeada pelos seus brinquedos, ela não sabe como brincar com eles. Só quando chega Maja, uma criança que preservou a fantasia, com a sua simples boneca de madeira, começa um período maravilhoso para as duas.

Em muitos jardins-de-infância, estão sendo implantados dias de brincar sem brinquedos. Aliás, isso serve também como prevenção de drogas! As educadoras estão fazendo experiências sobre como as crianças descobrem muito rapidamente, e sozinhas, ótimas idéias para brincar, usando como brinquedos os móveis, papel, cola e materiais naturais como areia, água, madeira e pedras. São atitudes que deveriam ser mais divulgadas.

Se as crianças conseguem ocupar-se com poucas coisas, elas se tornam fortes e correm menos perigo de se tornarem vítimas indefesas de circunstâncias externas.

## Autodefesa

*Mulheres não aprenderam a lutar por si mesmas, isso tem que mudar!*

Nós vivemos num mundo de violência e luta. E nós podemos participar da luta!

Nós, mulheres, em geral não aprendemos a lutar por nós mesmas: isso tem que mudar! Cursos de autodefesa não só nos ajudam na parte física, mas também aumentam a coragem e a sensibilidade para as nossas habilidades físicas e a nossa força. Podem ajudar, também, no nível espiritual: nós, como meninas

*A disposição à autodefesa não é somente uma questão de habilidades físicas, mas também uma atitude espiritual: eu tenho o direito de me defender!*

e mulheres, podemos nos impor, ocupar espaços e defender as nossas opiniões.

Informe-se sobre os cursos que existem perto da sua casa. Aikidô, judô e karatê são disciplinas de luta que fortalecem o corpo inteiro e que ensinam também o respeito ao adversário. Quando nos inclinamos, antes de cada luta, perante o adversário, simbolizamos a nossa estima por ele. Afinal, só aprenderemos e progrediremos junto com ele.

Em cursos de final de semana, muitas vezes são ensinadas medidas de autodefesa que podem ser praticadas logo, sem anos de treinamento.

Procure convencer a diretoria do colégio da sua filha a oferecer cursos de autodefesa, mesmo se forem cursos pagos.

Existe uma história verdadeira, narrada por um escritor: é a história de Ginny, 21 anos, que trabalhava à noite num restaurante. Era uma jovem baixa e magra que sempre tinha medo de ir, depois do trabalho, até o seu carro. Uma noite, ela notou um homem e pressentiu que ele lhe queria fazer mal. Ela teve muito medo, mas decidiu, com toda a coragem, lutar e se defender. Primeiro, ela jogou a bolsa de mão no chão e se colocou numa posição de defesa: os pés a uma distância de 30 centímetros um do outro, o corpo em equilíbrio, os punhos para cima. Ela assumiu o papel do agressor, dizendo: "Meu amigo, não tenho idéia do que você quer nem por que você está aqui, mas estou falando que não vai ser fácil. Eu estou disposta a lutar".

Por alguns momentos, os dois ficaram frente a frente, se olhando. Depois, o homem virou as costas e foi embora, sem olhar para trás. Ginny atribui o fato de ter conseguido agir dessa maneira à boa relação com o próprio pai. Como segunda filha que, na verdade, para o pai, deveria ser um menino, era levada por ele para a pesca e para a caça, treinava queda-de-braço com ele e aprendia como consertar carros. Assim, ela se identificou, em parte, com os comportamentos masculinos. Muito provavelmente, Ginny teria se tornado vítima se não tivesse aprendido a se comportar com agressividade. Lamentavelmente, comportamentos agressivos em mulheres não são incentivados.

Sabemos que as fêmeas de muitas espécies, quando temem pela vida dos seus filhotes, os defendem com extrema força. Neste sentido, muitas mães não são diferentes. Nós estamos dispostas a lutar para defender a vida. E se quisermos lutar, devemos também treinar!

## Elas são frágeis porque aprenderam a ser?

### Fatos científicos

Foi comprovado, em um teste psicológico, que crianças, independentemente do sexo, lidam de maneira diferente com dificuldades. Entre crianças com o mesmo nível de inteligência e de conhecimentos, umas reagem a problemas difíceis aumentando os esforços, outras ficam inseguras e acabam nem conseguindo resolver problemas dos quais, antes, tinham dado conta com facilidade.

Qual a razão disso? A diferença principal foi que as crianças que não desistiram tiveram uma conversa positiva consigo mesmas e não se deixaram desequilibrar pelos seus erros. Também não ficaram refletindo sobre por que tinham errado, mas previram o futuro sucesso. Enquanto as crianças fracas se resignaram, constatando "Não consigo!", as outras disseram para si mesmas: "Eu vou tentar de novo: chegará o momento em que eu vou conseguir!".

Outro estudo, em que perguntaram a meninas e meninos porque o seu rendimento era alto, revela a mesma tendência. Enquanto a maioria dos meninos atribuiu o bom rendimento à sua inteligência e dedicação, muitas meninas acharam que as soluções dos problemas eram fáceis. Elas explicaram o seu rendimento como mais ligado a circunstâncias externas do que à própria força.

Esses resultados dão indicações importantes aos pais: se as nossas filhas errarem, não devemos avaliar os erros, mas animá-las a usar o fracasso como informação, por exemplo, incentivando assim: "Isso não deu certo. Então, talvez tenha outro caminho; você, com certeza, o achará!" Ou: "Experimente outra coisa! Você vai conseguir!" Ou: "E daí? Tente de novo!".

*Se nossa filha errar não devemos avaliar o erro, mas incentivá-la a buscar outro caminho que a leve ao objetivo.*

Pessoas que são fracas porque aprenderam a ser fracas estão convencidas de que não existe nenhuma relação entre a própria ação e o resultado dela. O que equivale a dizer: "Qualquer coisa que eu faça, nunca dá certo". Você se lembra de ter ouvido essa frase outras vezes?

Quando observamos uma criança pequena que está brincando, vemos a sua alegria de experimentar. Causa-lhe prazer quando acha a abertura certa para um objeto, quando gera um barulho com tampas de panela, quando molda uma forma na areia ou sobe uma escada.

Se acontece freqüentemente que os pais interrompam esse impulso natural explorador, falando, por exemplo, "Por favor, pare com isso, não dará certo!" ou "Não! Isso é difícil demais!", então, a criança perderá cada vez mais a coragem, pensando: "Não consigo, por mais que eu me esforce!".

Essa reação pode ser vista até em adultos. Cada um interpreta a realidade do seu jeito, o que nos revela bem aquela piada, tão conhecida: duas pessoas ganharam estrume de cavalo como presente de aniversário. A primeira fica revoltada, pensando: "Sempre me acontecem essas porcarias!", enquanto a segunda pensa: "Que bom, eu ganhei um cavalo. Infelizmente, ele fugiu!".

Pessoas que não desistem facilmente e acreditam em si partem da premissa de que tudo está mudando sempre. Se eu não consigo fazer algo hoje, amanhã poderá dar certo. Além disso, elas consideram problemas como desafios que são, em princípio, superáveis. Em casos de fracassos, elas não assumem a culpa automaticamente, mas desenvolvem a criatividade, verificando se outros caminhos são possíveis ou se existem estratégias que, apesar de tudo, possam levar ao sucesso.

Os erros são necessários e é importante não avaliá-los como negativos, porém usá-los como incentivo para soluções criativas.

Por isso, os pais deveriam investigar como os erros podem estimular e fortalecer sua filha, para que ela acredite em si mesma e nas suas capacidades.

Infelizmente, na nossa sociedade, é corriqueiro criticar e comparar crianças. Mas isso nos leva para um caminho errado! Comparações não mo-tivam; ao contrário, elas desencorajam, porque toda criança é um ser único, com as suas capacidades, os seus conhecimentos e as suas experiências.

O que ajuda são frases positivas como: – "Você vai conseguir!" – "Você sabe fazer isso!" – "Você pode fazer isso!". Afirmações desse tipo fortalecem a confiança das crianças nas próprias competências e impedem que elas aceitem humildemente uma atitude de vítima.

## Viagens de fantasia

### *Para meninas aventureiras a partir de três anos de idade*

As seguintes viagens de fantasia são somente exemplos. Você mesma pode inventar aventuras simples para sua filha, envolvendo figuras e lugares preferidos. Sua filha ficará deitada ou sentada, sem se mexer, os olhos fechados ou abertos.

### *Um animal na mata*

Fique numa posição bem confortável... Está sentindo a terra embaixo dos seus pés?... Ela carrega você... E agora, imagine que você esteja numa mata bonita... Olhe para todos os lados... Talvez você consiga ouvir barulhos bem especiais... Ou cheirar alguma coisa?... Ou sentir?... De repente, você descobre um animalzinho fofinho... Deixe-se surpreender com este bichinho... Talvez, você queira fazer um carinho nele... Talvez, você queira contar uma historinha pra ele... Ou é ele que conta uma historinha pra você?... Bom, agora é hora de se despedir do seu bichinho... Na sua imaginação, você poderá encontrá-lo sempre... E agora, mexa as mãos e os pés... volte para cá, para este quarto, bem descansada e acordada.

## *Escalando montanhas*

Imagine que estamos escalando uma montanha bem alta... Há muitas pedras, mas você fica bem atenta aonde você vai botar os pés... Você consegue fazer isso... Vamos subindo cada vez mais alto... Acima de nós está o sol... ele esquenta você... Agora estamos no ponto mais alto... Você está vendo como, daqui de cima, as casas parecem pequenas?... E os carros?... E as pessoas?... Depois de gravar tudo dentro de nós, vamos descendo... Estamos orgulhosas... Assim, voltamos para o quarto... vamos mexendo as mãos e os pés... E estamos bem descansadas e acordadas.

## *Golfinhos*

Hoje vamos para a praia... É um dia quente e nós olhamos para o mar... Olhe! estamos vendo um golfinho, pulando para fora da água!... E mais um!... Agora, nos dá vontade de tomar um banho de mar... Vamos correndo para dentro da água clarinha... Opa, como jogamos água uns nos outros!... nadamos até os golfinhos... vamos brincar com eles... depois, nos despedimos deles... e voltamos para a praia, nadando... Nós sabemos... uma outra vez, nos encontraremos de novo... E depois voltamos da praia para este quarto... vamos mexendo as mãos e os pés... bem descansadas e acordadas.

## *Superar obstáculos (a partir de cinco anos de idade)*

Hoje, você vai cavalgar com o seu cavalo preferido... Deixe-se surpreender pela cor que ele tem e como ele é... Ele gosta de você... Você está sentindo isso... E agora, você pode subir nele... Você está cavalgando no seu cavalo... para um lugar de que você gosta... Lá, fique olhando... Sinta a força especial deste lugar... Sinta essa força, essa alegria... Vocês estão cavalgando no seu caminho preferido... Está aparecendo um obstáculo, mas você sabe que vocês vão superá-lo... Conseguiu!... Sim, vocês são uma ótima dupla... E agora?... De novo um obstáculo!... Vocês o superam... E assim, vocês ficam cavalgando mais um pouco... até voltar para cá... Diga tchau ao seu cavalo... até a próxima... E depois, mexa as mãos e os pés... e venha para cá... bem descansada e acordada.

## *O tapete voador*

Imagine um tapete bonito e colorido... Ele é macio, fofinho, e você gosta de deitar em cima dele... E você sabe, este tapete pode voar... Lentamente, ele vai decolando... Ele voa, junto com você, para fora da janela... Lá embaixo, está andando a sua amiga... Você acena para ela com as mãos... Você voa cada vez mais alto.. E você sabe como dirigir o tapete... Você conhece um jeito de fazê-lo voar mais para o alto e mais para baixo... E depois você olha uma coisa que você já queria ver há muito tempo... Talvez seja o jardim zoológico ... ou uma outra cidade... o mar... ou algo totalmente diferente... E se você achar que já viajou o bastante, você volta para casa... voando... Então, o tapete vai voltar para o chão do seu quarto... E você também volta... mexe as mãos e os pés... e está bem descansada e acordada.

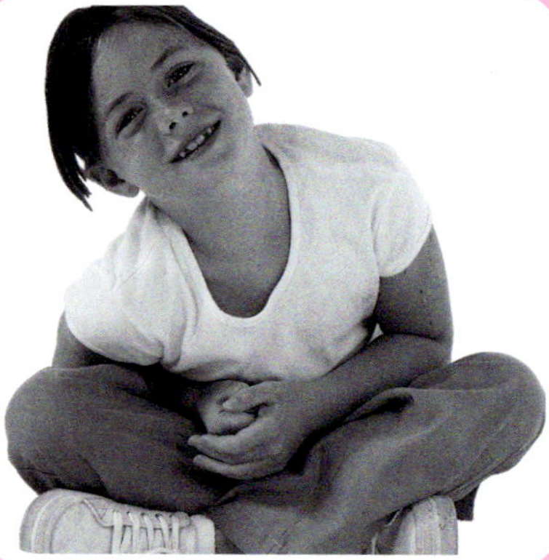

## Maternal ou creche: é desejável uma educação específica para cada sexo

Provavelmente, você já prevê se sua filha, no primeiro dia da escola maternal ou da creche, vai se despedir de você alegremente ou chorando. É totalmente normal que algumas crianças enfrentem essa nova situação sem problemas e curiosas, enquanto outras precisem de mais tempo e, mesmo assim, lhes custe bastante. Com as mães é a mesma coisa! Algumas ficam bem tranqüilas ao verem suas filhas saírem para o mundo, outras ficam com o coração apertado só de pensar nisso.

Toda criança deveria ter a oportunidade de se acostumar com a escola ou com a creche, tendo, por algum tempo, junto com ela, a mãe ou o pai, até o dia em que ela gostar de ficar lá sozinha. Na média, as crianças passam aproximadamente 4.000 horas nesses estabelecimentos, um período que marca muito a infância. Talvez sua filha esteja pela primeira vez num grupo junto com meninos; neste caso, ela não só viverá muitas coisas interessantes, mas terá que superar, também, muitas desilusões e conflitos.

Há alguns anos, está sendo proclamada uma pedagogia diferenciada para os sexos. O que isso significa, veremos bem no exemplo a seguir.

Eva, cinco anos, brinca com uma bola. Aí, vem Lukas, da mesma idade, e toma a bola das mãos dela. Eva começa a chorar, reclamando do fato com a professora. Ela só responde: "Você não pode dedurar os outros!".

Neste caso, a professora apoiou o comportamento do menino sem investigar o motivo do conflito. A menina está sendo culpada e humilhada. Uma outra professora poderia reagir assim: "Mas que machismo! Assim não dá! Como esses meninos se comportam!". E ela castigaria Lukas.

Nenhuma das duas atitudes ajudaria as crianças, nem a Eva nem o Lukas. Dessa maneira, somente se iriam estereotipando os seus comportamentos de menina e menino. Uma educadora consciente desse perigo pediria a Eva que se defendesse e apoiaria a menina nos seus esforços de obter a bola de volta. E Lukas não seria desqualificado com estereótipos do sexo masculino. A professora conversaria com ele sobre o que poderia fazer para obter a bola para brincar.

*Contribuam, como pais, para que, na creche ou no maternal, meninos e meninas sejam tratados corretamente, deixando para trás os clichês sobre os papéis dos sexos.*

Raiva e agressões são sentimentos freqüentemente oprimidos pelas meninas e vão se acumulando. Às vezes, são direcionados contra a própria pessoa. Conseqüentemente, essas meninas se desvalorizam, se limitam ou cometem algum ato de violência contra si mesmas.

Os educadores afirmam que, se as meninas, desde pequenas, forem apoiadas em perceber e em levar a sério a sua raiva e lhes for dada a possibilidade de medir forças com outras crianças, por exemplo, no maternal, elas aprenderão que responsabilidade pelos outros e autodeterminação, como também harmonia e conflitos, são dois lados da mesma moeda.

No maternal ou na creche de sua filha, os pais podem providenciar, se for preciso, que meninas e meninos sejam tratados corretamente e orientados a desenvolverem formas alternativas de comportamento, superando clichês ultrapassados e estereotipados. Nas reuniões, pais e educadoras podem discutir os preconceitos, um chamando a atenção do outro acerca de comportamentos estereotipados que aparecem no dia-a-dia. Assim, você terá a chance de consolidar, na vida diária do maternal ou da creche, novas formas de comportamento e novos espaços de experiência.

Encenações teatrais e didáticas são meios muito adequados para estimular meninas e meninos a vivenciarem um papel que é contrário à sua natureza. Neste caso, entretanto, as crianças devem ter, no mínimo, cinco anos. Crianças mais jovens acabam de descobrir a sua identidade sexual e precisam primeiro ensaiá-la em parte, com comportamentos exagerados, antes que estejam em condições de fazer experimentos.

Na minha prática como educadora, fiz experiências muito positivas, encenando historinhas de livros ilustrados e contos de fada com crianças. Se o que importa for, sobretudo, experimentar um papel e não representá-lo numa encenação ambiciosa, que sempre causará estresse, pode ser muito divertido para todos.

Em algumas atividades, pode ser aconselhável trabalhar com as crianças em grupos, separados de acordo com o sexo. Por exemplo, construindo objetos de madeira, os meninos, no caso das dores causadas por marteladas desorientadas, estariam obrigados a se consolarem uns aos outros, porque não haveria nenhuma menina por perto que pudesse se encarregar da tarefa. No grupo das meninas, algumas poderiam se destacar com a sua habilidade, servindo como modelos para as outras. Desta forma, tanto meninas como meninos iriam fazendo novas experiências.

No plano pedagógico dos estabelecimentos, devem ser encontrados princípios claros acerca dos objetivos educativos e dos papéis atribuídos a meninas e meninos, para que vocês, como pais, possam ter um ponto de referência quando conversam com os educadores da sua filha sobre acontecimentos dos quais vocês ouviram falar ou que chamaram a sua atenção.

## BRINQUEDOS PARA MENINAS: SERÁ QUE SÓ EXISTE BARBIE?

Uma mãe relatou que sua filha, de um ano de idade, ganhou de presente do Papai Noel um caminhão de brinquedo e não demonstrou nem um pouco de interesse por ele, mesmo quando seu pai tentou despertar alguma curiosidade nela. Quase todas as mães de meninas têm observado, como eu, algo parecido: brinquedos de menino não são interessantes para a maioria das meninas. Minha filha desdenhava, com a maior frieza, até as pecinhas coloridas de Lego dos meus três filhos. O que ela queria eram bonecas e cavalos!

## FATOS CIENTÍFICOS

Várias cientistas comprovaram, em estudos, que as meninas pequenas se comportam de maneira diferente dos meninos pequenos. Contatos sociais significam muito para as meninas e, já aos três anos, muitas têm uma "melhor amiga". Meninas bonitas e bem vestidas geralmente são admiradas pelas suas colegas, e é muito importante para uma menina "fazer parte", ou não, de um grupo. Quando se conta a meninas de três anos uma história que trata de sentimentos, elas mostram uma sensibilidade social bastante relevante. Quando se joga em grupos, elas tentam negociar compromissos, respeitando os interesses dos outros, para não magoar as suas amigas, enquanto os meninos dessa idade, muitas vezes, disputam, lutando, as posições hierárquicas.

Em um experimento, foi pedido a duplas de melhores amigas e amigos, entre três e seis anos de idade, que fossem para uma sala vazia, com duas cadeiras, para fazer o que quisessem. Enquanto as meninas se sentaram imediatamente, uma bem perto da outra, e começaram a conversar, mantendo contato visual, os meninos ficaram experimentando as cadeiras e, nas raras conversas, quase não se olharam.

## HISTÓRIAS DO CORAÇÃO

As meninas, assim que têm a noção de que um dia serão mulheres, gostam de brincar de amamentar e cuidar de bebês. Até hoje, eu me lembro bem como meus filhos, aos dois anos de idade, davam o peito imaginário às suas bonecas. Quando eles, pouco depois, compreenderam que eram meninos e que nunca ganhariam um bebê, eles jogaram as bonecas no chão e nunca mais as tocaram.

*Na hora de brincar, o melhor conselho é: apóie sua filha naquilo que a interessar e dê-lhe estímulos bem variados.*

Porém, eu queria deixar claro que sempre existirão exceções a essas "regras". Nem todas as meninas se interessam por bonecas! Então deixe que elas brinquem com bloquinhos de madeira, carros e guindastes. Tampouco é aconselhável influenciar sua filha, direcionando-lhe o interesse para determinados brinquedos. Pelo contrário: apóie sua filha nos interesses dela. Dê-lhe estímulos bem variados. Siga a alegria dela, porque essa é a melhor motivação.

## *O que as meninas pequenas deveriam conhecer, brincando*

O que irei enumerar, em seguida, são objetos simples que estão disponíveis em quase todos os lares. Porém, deve-se sempre ter em mente o lembrete: os brinquedos citados, na sua maioria, exigem a presença e a atenção constantes de um adulto, supervisionando sua adequada utilização.

*Brinquedos para os primeiros seis meses:*

- materiais não tóxicos, como tampas, tecidos variados, panos, objetos de madeira;
- objetos naturais, como pinhões, pedras, folhas;
- diferentes objetos tridimensionais, como anéis, dados, copos de plástico, contas enfiadas num cordão;
- brinquedos com sons simples de serem ouvidos, por exemplo, relógios de brinquedo ou caixinhas de música;
- peneiras, funis, água.

*Brinquedos para a idade de sete a doze meses:*

- alimentos naturais, como cenouras, bananas, maçãs;
- bolas;
- revestimentos variados para engatinhar, como folhas de papelão, peles, panos, cobertores;
- tampas de rosca, com tamanho suficiente para que não possam ser colocadas na boca.

*Brinquedos para crianças a partir de um ano:*

- carros para empurrar e puxar;
- túneis para entrar dentro e andar se arrastando;
- pedaços de pano para construir grutas ou esconderijos;
- cavalinhos de pau;
- bolas e balões;
- tambores simples;
- bloquinhos de madeira;
- bolinhas de gude.

*Brinquedos para crianças a partir de dois anos:*

- acessórios para encenações didáticas, como gorros e bolsas;
- bonecas, bichinhos de pelúcia;
- giz de cera e folhas grandes de papel;
- fantoches ;
- quebra-cabeças simples.

*Brinquedos para crianças a partir de três anos:*

- acessórios para cenários, como casinhas de boneca, fazendas ou castelos de brinquedo;

- tesoura de ponta arredondada;
- caixa de aquarelas, cola;
- mesa para trabalhos manuais;
- fogão de brinquedo;
- maleta de médico.

## O que vamos fazer com a Barbie?

Os estudiosos dos brinquedos infantis afirmam que a Barbie é mais do que uma simples boneca e que ela seria o ícone da feminilidade moderna, como uma imagem sacra da imaginação descontrolada dos homens, minando a autoconfiança de muitas meninas.

Há quarenta anos, Barbie vem sendo amada fervorosamente e vendida aos milhões, e provavelmente, em algum momento, também você, mãe de uma filha, se verá frente à boneca Barbie (não necessariamente a da sua filha!). Na opinião dos estrategistas de marketing, a Barbie é exatamente como o homem padrão imagina a mulher dos seus sonhos: loura, magra, cabelo comprido, peitos grandes, pernas compridas. São exatamente esses atributos que materializam, segundo os estudiosos do assunto, o poder e a força da atração sexual feminina.

Eles também afirmam que a maioria das mulheres entende inconscientemente o encanto de pernas muito compridas e aprende, na adolescência, rapidamente como usá-lo. Muitas vezes, elas calçam sapatos de salto alto para que as pernas pareçam mais compridas ainda. Então, o que vamos fazer com a Barbie? Primeiro, deveríamos refletir sobre nós mesmas. Você, quando criança, tinha uma boneca Barbie? Como se sentia com ela? Você tem o desejo de parecer-se com a Barbie?

Muitas mulheres também reconhecem que uma parte do problema está na nossa própria atitude em relação à beleza. A maior parte de nós, se tivesse a possibilidade, gostaria de se parecer com a Claudia Schiffer ou Cindy Crawford. Então, não é que não queiramos nos parecer com a Barbie; mas nós nos defendemos contra a pressão de termos

*Não é que as mulheres não queiram se parecer com a Barbie; elas apenas se defendem contra a pressão de terem de parecer-se com ela.*

de ser tão bonitas quanto ela. Devemos nos perguntar, então, qual é o nosso ideal de beleza antes de comprar ou não uma boneca Barbie para nossa filha. A pressão sobre as mulheres para serem bonitas é tão grande que a maioria delas acaba por se submeter a esse ditado e, obviamente, transmitem essa pressão a suas filhas. Se você se recusar a comprar uma Barbie, explique por quê. Se você comprar, não é o fim do mundo.

Dê a sua filha a sua opinião a respeito da Barbie e os sentimentos que essa boneca desperta em você. Esclareça por que a Barbie tem os pés tão esquisitos e diga as coisas que não podem ser feitas com sapatos de salto alto. Provavelmente, a menininha não ficará convencida. O que faz a Barbie tão atrativa é o fato de ela ser uma mulher adulta e não uma menina pequena como as outras bonecas com que sua filha brinca.

As meninas pequenas observam as mulheres adultas querendo se identificar com elas. Quando você brinca com sua filha, qual é o problema de promover a Barbie a chefe de expedição, piloto ou cientista? Dessa maneira, você pode, pelo menos, influenciar um pouco as expectativas da sua filha. E talvez você até consiga questionar alguns clichês corriqueiros.

> Uma pesquisadora deu algumas sugestões do que poderia ser gravado na secretária eletrônica da Barbie: "Alô, Barbie, Melissa falando. Eu tenho algumas dúvidas em relação ao passeio de canoagem, através das corredeiras, no qual você vai nos guiar. Quais são os equipamentos que eu tenho que levar? Vou precisar de um capacete ou de um colete salva-vidas? E que mais?". Ou: "Alô, Barbie. Você não me conhece. Eu sou a Dra. Maria José da Silva, professora de pesquisas ambientais da Universidade de São Paulo. Pouco tempo atrás, fiquei sabendo, através de uma colega, que você inventou um novo tipo de células solares...".

O que fazemos com a Barbie? Decida você mesma! Eu não teria comprado uma para minha filha. Mas a vovó comprou. E se ela não tivesse feito isso, a Barbie teria entrado na nossa casa através da mesada da minha filha. Eu expliquei por que não gosto dessa boneca. Mesmo assim, minha filha adorava brincar com ela. Um dia, a Barbie sumiu; mas, pouco tempo depois, minha filha insistia em ter sapatos de salto alto. Como mães, não temos o controle total das coisas. Ainda bem! Mas sempre podemos e devemos defender a nossa opinião!

*Como mães, felizmente não temos sempre tudo sob controle. Mas sempre podemos e devemos defender a nossa opinião.*

Para encerrar o assunto sobre a Barbie, eu queria contar para você uma piada que ouvi de uma amiga. Ela tem três filhas; uma delas, Lisa, foi quem contou a piada à mãe: uma mulher entra numa loja, querendo comprar uma boneca Barbie. A vendedora lhe mostra vários modelos:

– Aqui temos a Barbie pronta para andar a cavalo, ela custa 24 reais. Esta é a Barbie jogadora de tênis, 22 reais, e temos também a Barbie noiva, que custa 26 reais. E, por fim, temos a Barbie divorciada, esta custa 100 reais.

– Por que esta é tão cara? – pergunta a mulher, irritada.

– É porque, se a senhora comprar, leva também o casarão do Ken, o carro do Ken e o barco a vela do Ken.

## POR QUE OS LIVROS SÃO IMPORTANTES?

Hoje em dia, as crianças têm uma vida muito fácil: além da própria família, geralmente elas conhecem muitas outras, porque começam muito cedo a combinar encontros com as amiguinhas ou os amiguinhos para brincarem ou até dormirem na casa deles. Irmãos ou irmãs não são indispensáveis, porque as crianças conhecem outras meninas e outros meninos e os irmãos deles. Outras famílias, outras crianças, tudo isso as crianças podem conhecer também através de livros. A televisão não é um substituto equivalente aos livros. Livros ilustrados podem ser contemplados com calma, quando e quantas vezes a criança estiver com vontade. E se o livro só contiver texto, a criança desenhará as próprias imagens, na imaginação e também no papel. As duas coisas são atos criativos. Já a televisão não é criativa: assistir à televisão significa consumir passivamente.

*Ler é um ato criativo; assistir à televisão, ao contrário, significa consumir passivamente.*

Os primeiros livros ilustrados devem ser simples, mostrando apenas um objeto por página. Se você gostar, você mesma pode costurar um livro ilustrado, feito de algum tecido. Assim, sua filha pode também apalpar as imagens, estimulando, dessa forma, vários sentidos. Sendo mãe de uma filha, você deveria escolher livros em que apareçam meninas. A imagem de meninas e mulheres transmitida por esses livros coincide com as suas idéias? Quais eram os nomes das heroínas da sua infância? Em quais livros você as descobriu?

## Histórias do coração

Eu amei os livros de Astrid Lindgren e ainda hoje, depois de lê-los umas vinte vezes, não me entediam. Encontramos neles a personagem principal, uma menina rebelde mas sempre bem-humorada, cheia de fantasia e, obviamente, mais forte do que qualquer homem. Em um dos livros, Astrid Lindgren descreveu a sua própria infância. As meninas da cidade onde ela viveu nunca se deixam intimidar pelos meninos, pelo contrário, em muitos aspectos, elas são superiores a eles e sabem disso muito bem. É também verdade que ninguém é tão criativo e bem-humorado quanto o menino Lasse, figura com que Astrid Lindgren descreveu o próprio irmão, mas, em geral, não são exclusivamente os meninos a dominarem a cena. Os filhos, como as filhas, têm de ajudar os pais no trabalho. As crianças brincam juntas, mas as meninas têm também jogos que nenhum menino entenderia. Todas as meninas dos livros de Astrid Lindgren em algum momento sobem no telhado e eu acho essa metáfora muito expressiva: estar em cima do telhado é maravilhoso, porque de lá se tem a visão geral necessária sobre tudo!

Livros nos influenciam pela vida inteira. Por isso, não é indiferente o que você lê para sua filha e o que, mais tarde, ela mesma lerá. Visitem juntas uma biblioteca: vocês farão descobertas muito interessantes.

## CONTOS DE FADAS

Em quase todos os contos de fadas, meninas e mulheres têm um papel destacado. Só isso é motivo suficiente para que eu os recomende, de coração. As crianças não deveriam ser forçadas a ler e ouvir contos de fadas. Minha filha, por exemplo, não era muito receptiva a eles e só mais tarde começou a gostar.

*Os contos de fadas nos ensinam que todos os problemas podem ser resolvidos, desde que nós tenhamos a coragem de assumir o desafio, de não desistir e de buscar o nosso próprio caminho.*

Na sua infância, você tinha um conto de fadas preferido?

Eu tinha vários e embora os tenha ouvido e lido por volta de cem vezes, eles me iluminam até hoje a cada nova leitura. Para mim, nos contos de fadas encontramos uma sabedoria vinda das origens, válida em todos os tempos.

Vejamos "Branca de Neve". Na versão original, é a mãe que quer matar a menina, e não a madrasta. É difícil para uma mulher ver a própria beleza murchar enquanto a filha vai ficando cada vez mais bonita. Inveja envenena. A salvação acontece na solidão da natureza, atrás dos sete montes, na casa dos sete anões, aos quais a menina serve. Eles não podem salvá-la da morte por veneno, isso será tarefa do príncipe. A vida continua e tem, como sempre, um desfecho feliz. É isso aí: no final, tudo será bom, apesar de todos os sofrimentos terríveis pelos quais passamos anteriormente e dos longos caminhos percorridos. Não é consoladora a mensagem deste conto de fada?

Em "O Rei Dragão", é a filha do pastor de ovelhas que devolve ao monstro, ao dragão, a sua forma humana. Seguindo o conselho de uma mulher sábia, ela salva a própria vida e o país inteiro. Não é apenas astúcia feminina, mas o conhecimento de uma fonte de sabedoria muito mais profunda.

"A Bela Adormecida" não pode ser salva do seu destino. Só na hora certa, o salvador masculino pode chegar e beijá-la. Todos os outros ficam presos nos espinhos. Por que, perguntamos, o rei era tão teimoso que convidou apenas doze das treze mulheres sábias?

Contos de fadas nos ensinam que nada é impossível. Eles nos mostram, através do seu sentido figurado, que um destino difícil sempre leva à salvação, desde que não se tenha medo de buscar o próprio caminho e de aceitar os desafios da vida. Quem preservar um coração aberto e bom achará, num mundo elementar, seja nas profundezas da floresta, na solidão dos campos ou nas alturas das montanhas, o caminho para uma sabedoria que, ao final, o levará ao seu destino. Desta forma, nós todos podemos alcançar o nosso reinado!

Existe algo melhor que você possa prometer a sua filha?

## Quando as meninas brincam de princesa: obsessão por uma beleza imposta?

Minha filha teve, desde pequena, um interesse especial por roupas. Assim como conseguiu se vestir e desvestir sozinha muito cedo, ela gostava muito também de trocar de roupa, de vestir fantasias ou de experimentar combinações novas. E quando via, em algum lugar, esmalte de unhas, queria ter um também. A mesma coisa acontecia com todo tipo de jóias. O comportamento dela me surpreendeu, porque eu não me importo nem um pouco com essas coisas. Ela não as pode ter visto comigo e, nos primeiros anos, ela também não conhecia a televisão.

Aos catorze anos, no meio da semana, de repente ela apareceu na minha frente vestida com um vestido de festas e calçando sapatos de salto alto. Os seus olhos brilhavam:

– Mamãe, eu não vejo a hora de poder vestir roupas assim todos os dias!

– E por que você não as veste já agora? – perguntei, curiosa.

– É que agora não estou precisando ainda. Mas quando eu tiver uma profissão, vou vestir algo assim todos os dias!

Muitos fatos indicam que o desejo feminino de ser bonita já esteja arraigado socialmente. Há milênios, as mulheres se dedicaram à produção de tecidos, tecendo, bordando, fazendo malha ou crochê, providenciando a roupa para toda a família. O desejo de uma casa bem mobiliada, de um corpo bonito, mais ainda, o impulso de fazer do próprio corpo uma obra de arte são muito antigos. Com muita alegria, quase todas as mães enfeitam as filhas com vestidos, sapatos bonitos e jóias. E os meninos sofrem muitas vezes por não poderem se enfeitar, porque, se o fizessem, seriam ridicularizados, sendo chamados de "menininhas" ou, mais tarde, até de "veados".

*A imagem da mulher na mídia é uma imagem distorcida da realidade. As mulheres que não correspondem a essa norma, geralmente são marginalizadas.*

A imagem da mulher, na mídia, difundida em qualquer revista, é uma distorção da realidade. As mulheres menos bonitas são marginalizadas. E o interesse pelas mulheres que têm sucesso na profissão cresce proporcionalmente à sua beleza. Mesmo assim, está comprovado que pessoas bonitas nem sempre têm a vida fácil. É porque são atribuídas a elas qualidades acima da média: são consideradas pessoas mais inteligentes, mais carinhosas e de trato mais fácil.

Entretanto, muitas mulheres bonitas acham que são respeitadas somente pelo aspecto físico e não pela qualidade do seu trabalho. Isso as faz infelizes! São mulheres que nunca se sentem levadas a sério. A beleza, para elas, é como se fosse uma máscara que elas não podem tirar: o peso que isso comporta leva, muitas vezes, à autodestruição, seja através do álcool, das drogas ou, até, do suicídio.

Quando menina pequena, eu também fui enfeitada com vestidinhos e lacinhos. Entretanto, durante a adolescência, perdi quase todo o interesse pela aparência exterior e, até hoje, continuo assim. Será que eu queria mostrar que era diferente da minha irmã mais velha e bonita? Em famílias com várias meninas, cada uma assume um papel. Se o papel da "bonita" já está definido, a próxima filha tem que fazer um papel diferente. Talvez ela se torne "a inteligente", ou "a simpática", ou "a rebelde". Eu, talvez, tenha incorporado demais o lema de meu pai, de acordo com o qual o que importa são os valores interiores. Ou talvez tenha simplesmente escolhido uma missão diferente para a minha vida.

Depois de observar e acompanhar crianças por trinta anos, sempre fascinada, tudo me parece indicar que cada criança vem ao mundo com uma missão de vida que ela tenta cumprir. Essa missão se evidencia nos seus interesses, no que lhe causa alegria. E essa alegria vem do coração e não pode ser gerada artificialmente através de circunstâncias exteriores.

Eu, por exemplo, brinquei por vários anos intensamente com bonecas, tratando-as como se fossem meus filhos. Hoje não posso imaginar uma vida sem me envolver com crianças, mesmo se não tivesse tido as minhas.

Cada ser humano escolhe, para a sua missão de vida, antes de nascer, um determinado sexo, levando em consideração se poderá cumpri-la melhor como homem ou mulher.

Essa é a minha convicção pessoal.

Quando adultas, muitas pessoas se adaptam às normas e circunstâncias dadas. Então, motivadas por pressões externas, elas fazem às vezes coisas que, na verdade, não queriam fazer, abandonando o seu caminho e desviando-se, assim, da sua missão de vida. Não encontraremos a felicidade verdadeira alcançando objetivos exteriores, mas somente à medida que encontrarmos e cumprirmos a nossa missão de vida.

São especialmente as crianças pequenas, não importa se meninas ou meninos, que nos mostram muito claramente qual é a tendência do caminho delas.

A palavra educação, a meu ver, não é mais adequada. Na minha opinião, trata-se de "des-envolvimento", no sentido literal da palavra. O que importa é acompanhar a criança na sua busca pela missão de vida, ajudá-la no desenvolvimento das suas capacidades.

Para descobrir de que uma criança realmente precisa, temos que observá-la sempre e atentamente, e oferecer-lhe coisas que não a forcem a seguir por um caminho que seja imposto a ela. É o que questiona uma amiga minha: "Como posso dar de presente de nascimento a uma menininha um colar, sem saber se ela vai querer usá-lo, um dia?".

## ANIMAIS DOMÉSTICOS: UMA EXPERIÊNCIA PRAZEROSA

Muitas meninas não desejam nada mais ardorosamente do que um animal doméstico! Mas eu acho que também os meninos deveriam ganhar animais para aprender a cercá-los de cuidados. No entanto, eu não gostaria, de maneira alguma, de persuadir você a arranjar um animal doméstico se você não quiser. Porém, posso lhe assegurar que os animais podem enriquecer muito a vida se a família estiver disposta a tomar conta deles.

Se o desejo ardoroso da sua filha é ter um animal, você deveria saber que, em hipótese alguma, ela pode cuidar dele sozinha antes dos oito anos de idade. Você deverá ajudá-la e adverti-la sempre que preciso.

Caso se decida contra um animal em casa, talvez você possa defender a idéia da manutenção de animais domésticos na escola da sua filha. Em Berlim, conheci várias escolas que os têm. No intervalo das atividades, quase todas as meninas corriam para os seus coelhinhos, porquinhos-da-índia e até cavalos, enquanto os meninos jogavam futebol. Efeito colateral positivo: agressão e violência quase não existiam nessas escolas!

À tarde, muitos pais iam à escola, curtindo a convivência com as crianças que cuidavam dos animais. Numa escola com horário integral, em que meu irmão trabalha como professor, ele toma conta de plantas e também de ratinhos, peixes e outros animais. Um grupo de alunos, com muito mais meninas do que meninos, cuida deles.

Quem aprende a assumir a responsabilidade por um animal, mais tarde também saberá cuidar, com responsabilidade, de sua própria filha ou filho. Porque, observando os animais, adquirimos o dom da empatia.

Animais nos dão um retorno gratificante. Eles não nos rejeitam, como os homens fazem de vez em quando, e nos amam incondicionalmente. Essa experiência pode ser muito importante, em especial para meninas.

## Meninas e cavalos: uma relação íntima

Desde os primeiros anos escolares, meninos e meninas se sentem igualmente atraídos por cavalos e outros animais. Porém, na pré-adolescência, começa em muitas meninas uma verdadeira cavalomania. Fabricantes de brinquedos criaram numerosas variações que satisfazem as meninas provisoriamente. Com esses brinquedos, elas podem, em um nível simbólico, agir com cavalos e expressar no jogo tudo o que as emociona, dá medo ou mexe com as suas mentes. Entre os seis e treze anos de idade, muitas vezes, minha filha brincava junto com uma amiga por dez horas, ou até mais, com figuras de cavalos, interrompendo o jogo somente para comer. Em outros jogos de intensidade parecida, ela mesma assumia o papel de um cavalo.

A longo prazo, porém, o que vale são cavalos de verdade. Embora o hipismo de ponta seja dominado sobretudo por homens, nos clubes comuns de equitação normal e equitação artística, encontramos uma grande maioria de meninas e mulheres. De onde vem a grande força de atração que os cavalos têm sobre as nossas filhas?

Os psiquiatras de crianças e de adolescentes consideram o cavalo extremamente adequado para simbolizar os desejos e medos das meninas.

Sabemos, pela história e pela mitologia, que o cavalo acompanhou o homem desde sempre. Fora o cachorro, não existe nenhum outro animal que tenha servido ao homem de tantas maneiras diferentes. Ninguém esperava que os cavalos, que desde os anos cinqüenta foram sumindo aos poucos da agricultura, voltassem a ser usados e criados em número tão grande.

O cavalo é um símbolo arquetípico, ou imagem primordial, com o qual o homem pode se comunicar de maneira única. Nos últimos tempos, foram desenvolvidos estilos de cavalgar que não mais são orientados por exigências militares, mas que dão muita ênfase à comunicação mental, ao contato íntimo e à confiança. Pessoas que "conversam" com cavalos através de uma linguagem corporal gozam de uma popularidade enorme.

O cavalo alado supera espaço e tempo e mantém contato com os deuses. Será por isso que nós, mulheres, temos uma relação especial com eles? Unicórnios são seres lendários de uma enorme beleza.

Um mito de importância especial se evidencia nos centauros. Eles têm corpo de cavalo, mas cabeça e peito de homem, o que poderia ser interpretado como simbiose dos impulsos animalescos com a razão humana.

Sejam quais forem os motivos, muitas meninas amam os cavalos, e o contato com esses animais faz bem a elas. Quem aprende, com sucesso, a lidar com um cavalo ganhará autoconfiança, porque um cavalo é sempre mais forte do que o ser humano, mas se deixa, mesmo assim, conduzir e dirigir por ele.

Na análise dos psiquiatras, como parceiro, o cavalo não tem muitas exigências e é pouco problemático. Com ele, as meninas experimentam e se questionam: o que combina comigo? O que eu quero ser? O cavalo delas demonstra-lhes que compromissos são possíveis sem perder a dignidade e que adaptação não significa submissão. As características que, à primeira vista, parecem contraditórias – grandeza, força, velocidade de um lado, submissão e obediência do outro – estão reunidas nesse amigo forte, encorajando, assim, a jovem amazona a tentar também juntar aparentes oposições.

As meninas, quando em cima de um cavalo, vivenciam que atitudes comportamentais como ser simpática e delicada e, por outro lado, impor-se e exercer poder são possíveis e compatíveis. Cavalos aumentam a força de vontade e a necessidade de se impor das meninas, porque elas têm que dominar o cavalo e, ao mesmo tempo, respeitar regras.

Lidar com cavalos melhora também a autopercepção corporal e estimula a coordenação e o equilíbrio. O cavalo parece adequado para transmitir às meninas, sob muitos aspectos, o passo de que elas precisam para entrar na vida de mulheres adultas. Cavalgando e cuidando desse animal simbólico, elas vivenciam a sensação de estarem protegidas, mas também as de autonomia e poder. Em poucas palavras: se puder tornar possível que sua filha lide com cavalos, você fará algo muito proveitoso para ela.

# Capítulo 4

# Como as meninas aprendem

## Será que as meninas recebem menos apoio que os meninos?

Ao entrar na escola, muitas meninas estão bem à frente dos meninos da mesma idade. Elas se adaptam com mais facilidade, aprendcm mais rapidamente a ler e a escrever e, em geral, causam menos problemas. Essa é a estatística. Mas os números ocultam também muitas coisas.

As meninas que, por quaisquer motivos, demoram mais a aprender a ler e a escrever destacam-se negativamente e correm o risco de serem excluídas do grupo. Isso, para meninas, é particularmente grave porque, geralmente, a convivência social é muito importante para elas.

As meninas aprendem de maneira diferente que os meninos, e isso, na escola de hoje, é um assunto que ainda não está sendo levado em conta suficientemente. Entretanto, em alguns colégios da Alemanha, tentou-se separar meninas e meninos nas Ciências Exatas e Biológicas e nas disciplinas técnicas. Assim, por um lado, as meninas iam aprendendo numa atmosfera mais relaxada, mas depois, por outro lado, lhes custava mais ainda impor-se e concorrer com os outros.

Nota-se que é uma forma de ensino que não conseguiu se estabelecer até hoje; e nos anos sessenta, depois que a co-educação foi implantada na Alemanha, o número de colégios femininos foi diminuindo cada vez mais, e hoje só existem colégios femininos particulares ou técnicos. No setor de ensino alemão, prevalece o ensino público, havendo pouquíssimas escolas particulares.

Nos Estados Unidos, ao contrário, escolas femininas ou masculinas não são uma exceção: algumas universidades dispõem até de departamentos nos quais estudam somente mulheres. As alunas que terminam um curso nessas universidades têm muito sucesso, como, por exemplo, a advogada Hillary Clinton. Será que, numa universidade tradicional, ela teria tido as mesmas condições de aprendizagem e teria se desenvolvido da mesma forma?

A formação nas escolas deveria ter como objetivo levar em conta, em uma proporção maior, as experiências pessoais de meninos e meninas e envolver mais os interesses pessoais de cada criança.

Existe uma escola na Alemanha, a Escola Helene Lange, que pode ser considerada como modelo: é um colégio com horário integral, onde cada turma está sob a orientação pedagógica de dois professores, um homem e uma mulher. Nesse colégio, há menos aulas com ensino tradicional, em compensação são oferecidos estágios regulares em instituições sociais e empresas. O colégio coopera com um asilo para idosos, um jardim de infância e um hospital na Saxônia e apóia projetos no Nepal. As turmas são pequenas, e a elaboração de projetos faz parte da prática pedagógica.

O ensino aberto e a responsabilidade de cada um por si mesmo têm uma grande importância. Os projetos de teatro, que acontecem durante todo o ano letivo, são conhecidos e fazem muito sucesso. Os professores se consideram mais "treinadores" do que "ensinadores" e participam, com grande interesse, de cursos de

*Hoje se sabe que as meninas aprendem de forma diferente dos meninos, mas, até agora, nada mudou nas escolas.*

especialização. Helene Lange, nascida em 1848, na cidade de Oldenburg, e falecida em 1930, em Berlim, foi uma educadora que se engajou decididamente em favor da formação de meninas.

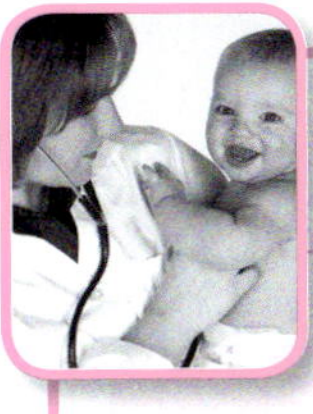

## Fatos científicos

Em testes de nivelamento em Matemática, os resultados das meninas são geralmente piores do que os dos meninos. Há muita polêmica a respeito. Enquanto uns acreditam numa diferença nos cérebros causada por hormônios, outros acham que as meninas são tratadas, pelos pais e na escola, de maneira diferente dos meninos, o que explicaria os resultados inferiores. Uma análise de resultados em testes realizados por um período de 32 anos mostrou que, nos 10 por cento de melhores alunos, a proporção entre meninos e meninas era de 3 para 1. Essa tendência existe também em outros países.

Nos anos de 1995 e 1996, o teste qualitativo *The Third International Mathematics and Science Study* (Terceiro Estudo Internacional de Matemática e Ciências) foi feito em 21 países, por meio milhão de alunos e alunas da quarta série, da oitava série e do terceiro ou quarto ano do ensino médio, dependendo do sistema escolar de cada país. Nas áreas de Matemática e Ciências Exatas, os meninos conseguiram, em todos os países, exceto na África do Sul, melhores resultados que as meninas e, aumentando-se a idade, essa diferença aumentava também.

Embora as diferenças internas no grupo das meninas e no dos meninos sejam maiores do que as diferenças entre meninos e meninas, os resultados do estudo parecem comprovar que os meninos conseguem, nessas áreas, resultados bem melhores. Especialistas americanos, entretanto, analisando os resultados mais detalhadamente, revelaram que essas diferenças valem somente para alunos brancos, mas não para afro-americanos. Além disso, comprovou-se que as meninas conseguem superar os meninos nas operações básicas e que elas têm também notas melhores em Matemática.

Será porque, simplesmente, elas se comportam melhor na sala de aula?

*Parece que até as próprias meninas acham ter menos talento matemático do que os meninos.*

O fato, porém, de muitos pais acharem que as meninas têm menos talento em Matemática do que os meninos parece ser decisivo. E o mais importante: parece que as próprias meninas também acreditam nisso.

Já no começo da puberdade, as meninas perdem o interesse pela disciplina Matemática, o que é uma grande desvantagem, porque a Matemática é a base para muitas outras disciplinas nas universidades. Aparentemente, porém, o desinteresse não é em todos os casos. Ainda segundo especialistas americanos, a aversão às disciplinas exatas seria, supostamente, uma reação a preconceitos de meninas da mesma idade: menina que tira nota boa em Matemática não é interessante para os meninos. Mas não acho que isso possa ser aplicado indiscriminadamente a alunas alemãs. Quando perguntei a minha filha de 15 anos o que ela achava do assunto, ela sorriu e disse que a maioria dos meninos gostaria certamente de ter uma namorada inteligente; mas também afirmou que os craques em Matemática da sala dela são todos meninos. Será tão grave assim?

As meninas têm a tendência de aceitar as dificuldades em vez de considerar os próprios erros como um desafio e fazer de tudo para melhorar.

Num estudo extensivo da Universidade de Michigan, nos Estados Unidos, foram examinadas nos anos oitenta milhares de crianças, para descobrir as raízes das diferenças entre os sexos no que se refere ao interesse pela Matemática e ao rendimento nessa disciplina. Enquanto na escola primária as competências matemáticas das crianças foram avaliadas como iguais pelos pais, a partir da sexta série apareceram diferenças claras. Aqueles pais que achavam que a Matemática era uma disciplina difícil particularmente para meninas subestimavam o rendimento das suas filhas. E os pais cujas filhas chegavam em casa com notas boas diziam que o motivo era o grande esforço das filhas.

Se uma menina ficava quebrando a cabeça com um problema em casa, os pais tinham pena dela em vez de animá-la. Em caso de notas boas, as meninas eram elogiadas menos pelas suas capacidades matemáticas do que pela sua aplicação. É assim que as profecias se auto-realizam...

Mas as próprias meninas tinham também dúvidas acerca das suas capacidades matemáticas. Exatamente por isso, os pais deveriam animar as filhas. Os cientistas recomendaram aos pais que esclarecessem que, dependendo do assunto, a Matemática podia ser às vezes difícil para elas, mas, outras vezes, também fácil; de qualquer maneira, valia a pena que elas se esforçassem.

Outra pesquisa sobre como os meninos e as meninas procediam na solução de um problema descobriu que os meninos desenhavam ou imaginavam os problemas graficamente. Recomendou-se, então, aos pais e às professoras que pedissem às crianças que representassem graficamente os problemas formulados verbalmente, obtendo-se sucesso com o método.

*Meninas com notas boas são elogiadas mais por serem alunas aplicadas do que pelo rendimento intelectual.*

Acredito que, em muitos casos, o ensino de Matemática seja simplesmente ruim e que, por isso, as meninas fracassam. Uma vez, uma amiga me mostrou o material didático de Matemática de Maria Montessori: é um material extremamente estético, muito claro e plástico, acessível aos sentidos, e simples. Depois das primeiras explicações, as crianças podem trabalhar sozinhas, descobrindo muitas coisas sem a ajuda da professora. Isso é maravilhoso! Se tivessem usado esse material nas minhas aulas de Matemática, tenho a certeza de que eu também teria entendido alguma coisa!

*Em escolas co-educativas, algumas meninas se sentem pouco valorizadas, perdendo, então, a vontade de aprender.*

Apesar de todas as discussões, em geral pode ser constatado que as meninas vão completando as lacunas de conhecimento na disciplina matemática. A distância entre meninos e meninas e os preconceitos vão diminuindo. No cômputo geral, foi confirmado que as meninas conseguem melhores notas e melhores resultados escolares do que os meninos.

*Em algumas escolas, continua-se pisando na confiança que as crianças têm no próprio valor: lutar contra isso é a sua obrigação.*

A discussão sobre a relação entre meninas e Ciências Exatas e Técnicas deve continuar, mesmo porque permanece a pergunta: por que é tão raro uma menina optar por uma profissão técnica ou matemática, mesmo sendo uma ótima aluna nessas matérias?

Estudos comprovaram que as meninas, em escolas co-educativas, se sentem desvalorizadas pelo comportamento de outros alunos e dos professores, enfraquecendo-se, assim, a vontade de aprender. A isso se junta o fato de que as expectativas da sociedade tenham as suas conseqüências também nas escolhas profissionais. Até hoje se espera de meninas que elas optem por profissões tipicamente femininas. Talvez seja essa a razão por que muitas meninas não criam coragem suficiente para invadir os supostos domínios masculinos, em algumas áreas.

É chover no molhado dizer que muito menos mulheres do que homens conseguem alcançar posições de liderança, mesmo tratando-se de típicas profissões femininas. Pouco tempo atrás, conversando sobre o assunto com uma socióloga, ela disse: "É verdade; mas nós, mulheres, nem o queremos". Ela, que vivia sozinha e não tinha filhos, havia recusado várias vezes uma posição de liderança porque não queria assumir a responsabilidade ligada a isso.

Aparentemente, as mulheres têm menos vontade de assumir poder e responsabilidade, mesmo que não tenham filhos. Mas, com certeza, existem também vários exemplos de mulheres que tentam se impor no mundo masculino, com muita garra, encontrando, porém, todas as vezes, um limite que pode ser chamado de "teto de vidro". O que quer dizer que, formalmente, a ascensão profissional de mulheres é possível, sim; mas as mulheres que cometem essa ousadia, mais cedo ou mais tarde se chocam contra o mencionado "teto de vidro" e não conseguem subir mais, geralmente sem saber por quê.

Quais as conseqüências de tudo isso para a formação escolar da sua filha?

Aqui vão algumas sugestões para que você possa ajudá-la:

- Escolha para sua filha uma escola em que ela encontre as melhores condições possíveis e onde possa aprender e estudar com muita alegria.
- Infelizmente, em algumas escolas, a confiança das crianças no próprio valor está sendo pouco estimulada, às vezes até esmagada. É difícil lutar contra isso, mas é a nossa obrigação!
- Quando sua filha tirar notas baixas ou tiver outros problemas na escola, você tem de estar ao lado dela ainda mais e mostrar-lhe que você a ama, independentemente dessas dificuldades.
- Uma escritora declara que os filhos delas foram várias vezes avaliados como "reservados demais". Outras crianças são "agitadas demais". O que significa isso? Não há lugar para essas crianças?
- Apóie sua filha nos interesses dela, ajude-a quando houver injustiças e dificuldades, converse com os professores e, se for preciso, providencie aulas particulares pelo tempo que for necessário.

- E observe sua filha com a maior atenção possível, para que vocês descubram, juntas, para quais problemas ela tem capacidades especiais e em que ela precisa de apoio.

## Viagens de fantasia

### *O exercício das fadas: uma viagem de fantasia na época da escola*

Procure uma posição bem confortável e preste atenção na sua respiração, como ela vem e vai, sozinha... E depois imagine que você esteja caminhando por uma mata bonita... Você está olhando ao seu redor e avista uma árvore muito especial... Aqui você quer ficar por algum tempo... É um lugar tão bonito e calmo... De repente, você sente a presença de uma fada bondosa... Ela é uma mulher sábia, carinhosa, maravilhosa, que vem de um lugar onde tudo é possível... Ela quer ensinar alguma coisa, algo que você quer aprender...

E agora, ela mostra a você como fazer... E você tem todo o tempo do mundo... todo o tempo de que você precisar para olhar bem ou escutar bem... Vamos fazer uma pausa bem longa... E agora você se despede, agradecendo... na certeza de que você pode voltar para este lugar a qualquer momento... sempre quando quiser que a fada ensine alguma coisa, você poderá voltar para esta árvore... E memorizando bem tudo o que ela ensinou... você volta pelo mesmo caminho, atravessando a mata... E volta para cá... vai mexendo as suas mãos, os seus pés... e está aqui de novo, bem descansada e acordada.

## Como os pais podem estimular as filhas

Todos os pais têm muitas possibilidades de estimular a filha, desde pequena. Assim, ela terá sucesso na escola e poderá escolher uma profissão conforme os interesses dela.

As seguintes dicas talvez possam ajudar:

- Estimule a habilidade espacial e visual da sua filha. Capacidades espaciais e visuais podem ser desenvolvidas sobretudo através de exercícios e experiências com brinquedos adequados. Deixe, então, sua filha construir coisas com bloquinhos de madeira e Lego. Atividades esportivas também ajudam a desenvolver as capacidades espaciais e visuais.
- Peça para ver o material didático de Matemática numa escola que trabalhe com a metodologia Montessori.
- Encoraje sua filha a não desistir, mas a trabalhar na solução de um problema. As seguintes frases podem ajudar: "Talvez você não tenha achado ainda o caminho certo. Vamos tentar juntas". Ou: "Se não conseguir agora, você pode tentar de novo. Muitas vezes, mais tarde a gente tem idéias melhores".
- Estimule as capacidades matemáticas da sua filha, levantando, no seu dia-a-dia, questões matemáticas: "Na nossa família, somos cinco. Mas Lukas está na casa de um amigo e papai volta hoje mais tarde. Quantos pratos temos que colocar ao pôr a mesa?". Se vocês fizerem juntas uma comida ou um bolo, muitas vezes será preciso dobrar ou dividir ao meio as receitas. Deixe que sua filha participe.
- Como pai, deixe que sua filha participe de atividades que são consideradas "coisas de homem" e que ela possa partilhar, na medida do possível, da sua atividade profissional.
- Ensine sua filha a lidar com dinheiro e deixe que ela participe quando você faz as contas do dia-a-dia.
- Deixe que sua filha ajude na reforma e na escolha dos móveis do quarto dela, porque para isso também é preciso tirar medidas e fazer contas.
- Através de material para experimentos, como lupas, microscópios, binóculos, etc., deixe que ela aprenda que Matemática e Ciências podem ser atividades prazerosas.

# Capítulo 5

# Quando meninas se transformam em mulheres

## O que significa puberdade

A puberdade e as etapas de desenvolvimento relacionadas a ela são um grande desafio para todas as crianças e os respectivos pais. Enquanto muitas meninas, aos nove ou dez anos, se sentem fortes e se valorizam, aos treze, catorze ou quinze anos elas ficam freqüentemente confusas, inquietas e inseguras. Porém, isso tem a ver menos com os pais do que com as expectativas da sociedade a respeito do papel que elas enfrentam. Quando perguntei a minha filha o que tornava as meninas tão inseguras, ela mencionou, em primeiro lugar, as revistas que meninas dessa idade lêem, mais ou menos regularmente: "As revistas mostram como a gente deve se maquiar e vestir. E quem, depois, não consegue parecer tão bonita assim fica decepcionada".

Os problemas que surgem nem sempre podem ser resolvidos junto com os pais. Nessa idade, muitas vezes, amigas, professoras queridas ou madrinhas têm melhores condições de dar uma força. Na vida de toda pessoa, é importante separar-se dos pais, sem deixar de amá-los. Se esse desligamento mútuo não acontecer, continuará uma dependência pela vida toda, geralmente entre a mãe e o "filhinho da mamãe", mas também entre o pai e a "filhinha do papai", como ensinam os psicólogos. São meninas que não conseguem se soltar do pai e vivem dependentes dele, em vez de fortalecer o seu eu e desenvolver uma personalidade própria.

## Fatos científicos

Mas o que significa puberdade e o que se passa nessa fase da vida?

A palavra puberdade vem do latim *pubertas*, a maturidade sexual. A raiz da palavra indica que existe também um parentesco com a palavra latina *pubes*, em português, os pêlos que cobrem os genitais. Antes, porém, que esses pêlos comecem a brotar, vai aumentando a produção do hormônio estrogênio no corpo de uma menina, às vezes já na idade de oito ou nove anos. Como o corpo sabe que está "na hora"? Ou melhor: por que algumas meninas entram na puberdade mais cedo do que outras? Nisso, a massa corporal tem um papel importante. Um peso corporal de, aproximadamente, 38 a 43 quilogramas sinaliza à central hormonal que é hora de iniciar o desenvolvimento para tornar-se mulher.

Os hormônios têm um efeito parecido com o do fermento. Eles impulsionam processos, nos dão uma turbinada, nos ajudam a executar determinados modos de comportamento com mais facilidade e prazer, como, por exemplo, a amamentação, que é facilitada pelo hormônio prolactina. Mas os hormônios não nos forçam a determinadas maneiras de comportamento!

Os hormônios esteróides provocam o crescimento do cérebro durante a puberdade, estimulando a pensar, questionar e buscar. O estrogênio estimula o corpo a se arredondar e a se desenvolver, a sentir desejo e prazer com todas as forças e a buscar a satisfação sexual.

Na busca pela sua identidade pessoal, tanto as meninas como os meninos fazem perguntas importantes a si mesmos: **Quem sou eu? Como eu quero ser? Como os outros me vêem?**

Nessa busca, as meninas se chocam muita vezes contra os limites da feminilidade culturalmente definida. Delas se exige considerar as expectativas dos outros e, se possível, satisfazê-las. Os estudiosos dizem que, sendo amáveis, adaptadas e reservadas, elas satisfazem as expectativas da sociedade; no entanto, elas têm de se questionar como poderão desenvolver a si mesmas, como alcançarão o seu "eu inconfundível", mesmo que não sejam somente amáveis e adaptadas, mas se elas também trabalharem, agirem e realizarem algo no mundo junto com outras pessoas.

Durante a puberdade, muitas meninas, até então autoconfiantes começam a duvidar das suas capacidades, questionando a si mesmas. Elas percebem que é difícil ser considerada uma mulher cem por cento e ao mesmo tempo suportar as pressões para ceder e para competir.

## Histórias do coração

Ideais corriqueiros de beleza são transmitidos cotidianamente na mídia, mostrando como tem que ser uma mulher atrativa. Com isso, as meninas inseguras acham difícil gostar dos seus corpos. Elke, 18 anos, escreve sobre si mesma: "Às vezes, eu quero ser como Rosa Luxemburgo: ela foi uma mulher muito corajosa, que achou o seu caminho, mesmo enfrentando perigos. De vez em quando, fico pensando o que os outros querem de mim, por exemplo, os meninos ou os homens. Aí, eu sei, com toda a certeza, que tenho que ter um bom coração, ser modesta, dedicada, meiga, capaz de me adaptar, atrativa, delgada mas também um pouco cheinha, ter uma boca bem sensual, mãos bonitas, poucos músculos; é isso, assim eles gostariam, eu acho. E sabendo disso, de vez em quando eu represento esse papel, uso e abuso dele".

Para o desenvolvimento psíquico, social e biológico, a adolescência é como se fosse um período de turbulências climáticas ou uma encruzilhada.

De um lado, são atribuídos os papéis tradicionais às meninas de hoje, de outro, elas conhecem também modelos de uma vida não-convencional, flexível. Estrelas pop, que ganham milhões, aparecem no céu das ilusões, enquanto a própria mãe talvez nem consiga bancar uma viagem de férias, mesmo trabalhando oito horas por dia. É difícil orientar-se nessa selva de possibilidades!

Cientistas americanos defendem o princípio da existência de mentores ou pessoas experientes que sirvam como uma referência externa, transmitindo o seu conhecimento às adolescentes. Esses mentores podem ser professoras, vizinhas amigas, treinadoras ou também as próprias avós ou madrinhas. Elas podem assumir o papel de mediadoras no principal "campo de batalha", aliviando as disputas familiares.

Durante a puberdade, é muito importante para uma menina sentir-se protegida, dentro de um grupo de meninas da mesma idade. Grupos supervisionados de meninas, na escola ou em outras instituições, podem ser uma ajuda no intercâmbio de experiências e no apoio mútuo. Em tais grupos, vai crescendo um sentimento de solidariedade entre meninas adolescentes da mesma idade e elas vão experimentando até mesmo coisas práticas, como diferentes cortes de cabelo, roupas e maquiagens. Muitas horas passadas juntas as ajudam a encontrar a si mesmas e a ensaiar competências sociais. Através dessas amizades, é possível lidar com os próprios pontos fracos, aprender a dizer não, tornar-se uma interlocutora sensível e experimentar serem reconhecidas e tratadas com respeito.

"Peergroups", ou grupos de autoconhecimento, que se baseiam em princípios da neurolingüística, também podem assumir funções de mentores, porque, neles, acontece uma troca e uma mediação de experiências, já que as pessoas pertencem mais ou menos à mesma faixa etária. Nessa fase da vida, muitas vezes é mais fácil aprender com outros adolescentes do que com adultos.

## O ciclo feminino

Com a puberdade, as meninas entram no ciclo feminino, e isso significa muito mais do que menstruar. Cada uma das quatro fases do ciclo tem as suas próprias características, que eu gosto também de comparar às estações do ano. Muitas vezes, são fases caracterizadas por determinados estados que se repetem sempre, por exemplo, como a gente se sente, se tem a ver com o nosso ambiente, as nossas próprias atitudes e as oscilações hormonais.

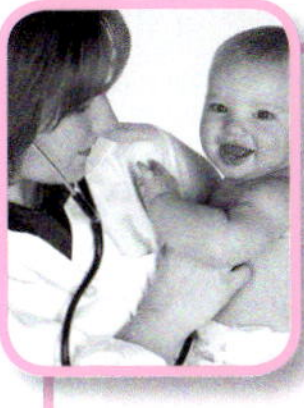

### Fatos científicos

A primeira fase começa com a maturação do óvulo no folículo ovariano, uma cavidade cercada de células no ovário. Para que o óvulo possa chegar à sua fase madura, o corpo produz o hormônio estrogênio que ativa também as mamas e o útero. É a fase que poderia ser comparada ao começo da primavera: no interior da terra, tudo já está crescendo, mesmo que, externamente, estejamos ainda no inverno e a natureza pareça estar dormindo. No corpo da menina ou da jovem moça surgem tantas possibilidades...

Na segunda fase, acontece a ovulação. Nela, também, um hormônio especial ajuda. Aproximadamente entre o décimo quarto e o décimo sexto dia do ciclo, o folículo ovariano vai aumentando, até transformar-se no chamado folículo de Graaf, que contém o óvulo já maduro. É a fase que corresponde ao final da primavera, quando florescem as cerejeiras e macieiras, atraindo os insetos com as suas cores e os seus perfumes, para serem fecundadas.

É a época fértil, também no ciclo feminino, e de fato, nessa fase, aumenta o desejo sexual em muitas mulheres. Mas a fecundação é possível também depois dos dias férteis, porque os espermatozóides duram alguns dias.

Segue-se a terceira fase, em que o óvulo é transformado no chamado corpo amarelo, cujas células produzem os gestagênios, sobretudo a progesterona, que têm o efeito de preparar o útero para recebê-lo. A mucosa uterina vai engrossando e é enriquecida de substâncias nutritivas porque, caso o óvulo seja fecundado, a criança que acaba de ser concebida tem de ter, desde o início, um lugar bom e confortável para se desenvolver. É a fase que corresponde ao verão: a fruta vai amadurecendo, e as flores não fecundadas morrem.

Nessa fase, não são necessários hormônios especiais, sendo que o óvulo já amadureceu e achou o seu caminho. Os níveis de estrogênio e progesterona alcançam o ponto mais baixo. Então, as meninas se sentem furiosas, agressivas ou deprimidas e tristes. No corpo delas, o corpo amarelo desaparece e a mucosa uterina vai desengrossando.

Na quarta fase, na menstruação propriamente dita, a mucosa uterina se solta. É a fase que corresponde ao outono. Que tipo de sangue é aquele que escorre do corpo durante a menstruação? Conte a sua filha sobre as características desse sangue, porque ele merece realmente ser tratado com respeito! É um sangue que contém muitas vitaminas, proteínas, ferro, cobre, magnésio, potássio, cálcio e outros sais minerais, como também uma grande quantidade de células imunológicas. Se alguém quisesse comprar um produto que contivesse tudo isso, seria preciso gastar um bom dinheiro na farmácia! Em princípio, não somente pode ser usado como fertilizante de plantas, mas também na cura de problemas da pele. Na China, esse "dragão vermelho" era usado até para magias amorosas.

Se tivermos consciência de que mulheres e meninas adolescentes convivem com o ciclo descrito, reagiremos às oscilações dos seus humores com compreensão e atenção, porque, com todas essas variações, nenhum ser feminino pode ficar sempre bem-humorado.

Hoje, é particularmente difícil achar uma identidade para mulheres que não correspondem ao ideal de beleza corriqueiro. É preciso reconhecer que as nossas meninas estão sob pressão múltipla, e nem sempre é fácil para elas, de um lado, cortar o cordão umbilical e desenvolver uma personalidade própria e, de outro, não se deixar enganar por clichês. As nossas filhas precisam, nessa época da vida, que nós lhes demos apoio, principalmente ouvindo-as atentamente e não levando a mal os seus caprichos.

## A PRIMEIRA MENSTRUAÇÃO: UMA FESTA VERMELHA?

### HISTÓRIAS DO CORAÇÃO

Quando vivi a minha primeira menstruação, eu tinha onze anos e estava completamente sozinha. Minha mãe estava gravemente doente e eu não tinha sido preparada por ninguém. Não havia absorventes e eu tive que me virar com as minhas calcinhas todas ensangüentadas. Muitas meninas da minha geração viveram pesadelos parecidos. As mulheres usavam palavras como "imundície" ou "sujeira" e não gostavam de falar sobre a menstruação. Ninguém podia saber nada a respeito.

Mais tarde, as filhas dessas mulheres levavam as suas próprias filhas para o banheiro, desde pequenas, mostrando-lhes que sangravam uma vez por mês. E que isso faz parte de ser mulher.

Hoje, as meninas sabem que a menstruação está ligada à capacidade de ganhar bebês. A maioria das meninas fica orgulhosa ao estar, pela primeira vez, "nos seus dias", sem manter tudo em segredo. Pelo contrário, é mais um motivo para comemorar.

A minha sugestão é que você converse com sua filha sobre o que ela quer fazer em homenagem a esse evento. Uma idéia seria fazer uma festa vermelha. Todos iriam vestidos de vermelho e comeriam alimentos vermelhos, alegrando-se com a vida. Mulheres mais velhas e mais jovens poderiam cantar e dançar juntas.

Vocês deveriam registrar também, em algum lugar, a data da primeira menstruação, para que não caia no esquecimento.

Entretanto, para a grande maioria das meninas de hoje que conheço, uma festa assim significaria "pagar o maior mico". Apesar disso, acho uma boa idéia propor a festa a sua filha, assim ela fica sabendo que o fato de tornar-se mulher é uma alegria para você. Talvez sua filha tenha também outras sugestões. Por exemplo, vocês poderiam sair para jantar num bom restaurante. Ou talvez ela possa escolher um anel ou um colar, como um símbolo especial. Um presente simbólico é uma homenagem para a alegria de ser mulher, além de destacar aquilo que é considerado um acontecimento muito especial.

## Dores menstruais

Hoje, muitas meninas não hesitam em usar analgésicos, seguindo o modelo das mães. Eu não acho prudente porque pode levar à dependência e ao consumo de drogas; se os remédios caseiros recomendados por mim não ajudarem, eu aconselho consultar um médico. No lugar do consumo leviano de comprimidos, sugiro recorrer a antigas sabedorias femininas e procurar, junto com sua filha, talvez nas férias de verão, as plantas medicinais alquemila e mil-folhas. Se tiverem um jardim ou um terraço, vocês podem cultivar essas plantas em casa, porque são de fácil manejo.

As ervas devem ser colhidas e secas à sombra. Um chá bem fraco de alquemila e mil-folhas é um bom remédio para dores menstruais. Se não tiverem a possibilidade de ter as plantas em casa, vocês podem encontrar, nas farmácias de remédios naturais, chás especiais para mulheres.

Existe também um óleo para massagens que dá ótimos resultados e é assim preparado: óleo de jojoba ou de amêndoas, enriquecido por:

- 1 pitada de óleo etéreo de rosas;
- 1 pitada de camomila romana;
- 1 pitada de cipreste;

- e 2 folhas de manjericão.

O óleo deve ser usado para que sua filha massageie a barriga: quem já o usou diz que quase sempre faz milagres.

### VIAGEM DE FANTASIA

A seguinte viagem de fantasia pode ser uma ajuda para amenizar as dores:

Sinta-se bem à vontade, embaixo de um cobertor... Feche os olhos e se acostume à escuridão que faz tão bem... Imagine que ela ajuda você a esquecer as suas preocupações do dia-a-dia... Perceba a sensação de estar bem protegida que vem da escuridão... E imagine que ela contém tudo... E olhe para o céu da noite... veja o quanto ele está escuro... Veja as estrelas e galáxias, a Via Láctea... Veja a lua e a sua luz... Acolha a escuridão no seu corpo... Ela é uma fonte de renovação e de transformação... Assim como toda noite faz surgir um novo dia... a escuridão é a fonte de todo o ser... Nós viemos da escuridão e voltaremos a ela... Curta a escuridão por mais um tempo... E depois volte para cá, para este quarto... bem descansada e acordada.

## COMUNICAR DE MANEIRA SENSATA: ALGUMAS REGRAS PARA MÃES E PAIS

Enquanto mantivermos a comunicação com as nossas filhas, não as perderemos: esta é uma experiência antiga e muitas vezes confirmada. A qualidade dessas conversas decidirá se a nossa relação será boa ou ruim.

Poucos de nós aprenderam como a comunicação pode ser bem-sucedida e, por essa razão, muitas vezes nos magoamos uns aos outros, sem querer. Falar impulsivamente nem sempre dá bons resultados.

Apresentarei, a seguir, algumas regras que podem facilitar a comunicação com as suas filhas e filhos adolescentes:

- Fale de você mesma, com mensagens em primeira pessoa. Ainda que os seus sentimentos sejam impetuosos, enquanto você falar de você mesma, não vai errar. Diga, por exemplo: "A bagunça no seu quarto me irrita!" ou "Agora eu fiquei tão nervosa que não consigo falar". Evite mensagens taxativas, como: "Você é bagunçada e não é sociável!", assim, sua filha não tem chance de mudar alguma coisa. É como se você fosse fixando as características negativas.
- Não generalize, porque assim o seu interlocutor não tem nenhuma chance de escapar da acusação. Ninguém é "sempre" mal-educado, bagunçado ou desinteressado. Assim como nem "tudo" é chato, estressante ou tedioso. Repreensões formuladas dessa maneira, mesmo se forem corretas numa determinada situação, são sempre desencorajadoras para sua filha: como vai satisfazer as suas expectativas, já que ela faz "sempre" "tudo" errado?!
  Fique ligada: quem fala generalizando não conhece exceções. Por isso, você deveria seguir o seguinte modelo nas suas colocações: "Você se esqueceu de levar o seu prato para a pia"; "Por que você não gostou da apresentação de teatro? Quando a gente assistiu no outro dia ao concerto, você adorou"; "Você acaba de desviar os olhos, eu fiquei decepcionada. Vamos voltar a conversar sobre o assunto amanhã".

- Fale sobre formas concretas de comportamento: "Não é legal você ligar a televisão agora. Nós combinamos que você iria fazer primeiro os seus deveres de casa"; "A gaiola dos porquinhos-da-índia não está limpa ainda. Por favor, resolva isso logo".

- Leve a sério os sentimentos e fale sobre as coisas que você percebe: "Estou vendo que você anda triste. O que aconteceu?"; "Estou percebendo que você ficou com raiva por causa disso. Quer conversar comigo?"; "Parece que você está aborrecida. Se você quiser, a gente pode...".
- Todas as pessoas têm o direito de demonstrar os seus sentimentos e de expressá-los. Nós nos revelamos através de sentimentos. Interprete o sentimento como se fosse um pedido para conversar em outro momento. Os sentimentos que estão à flor da pele têm que ser acalmados antes que se possa conversar sobre as suas causas.
- Elogie bastante sua filha. Em famílias nas quais todos se sentem bem, a proporção entre observações negativas e positivas é de uma para cinco.

Existem afirmações e observações que têm efeitos negativos em qualquer relação. Como todos nós já ouvimos observações desse tipo dos nossos pais, professores e outras pessoas, também acabamos por usá-las, infelizmente.

Verifique se o seu vocabulário contém os seguintes "matadores de diálogo e de autoconfiança":

- O que é que há com você?
- Quantas vezes preciso dizer...?
- Mas você não consegue acertar nem uma?
- Você é um trapalhão!
- Típico de meninas!
- Deixa que eu faço. É melhor, você não sabe.
- Se você fizer isso, você será...
- Veja só essa sujeira. Foi você que fez...
- O que é que você fez com o seu cabelo...
- Como é que você quer futuramente...
- Veja só quantos erros você cometeu...

## Permitido ou proibido?

Vocês ficarão surpresos com o ritmo em que sua filha, a partir de uma certa idade, insistirá em obter a permissão para isso ou aquilo: festas, cinema, cigarros, boate, bronzeamento artificial, álcool, festas de rua, visitas do namorado ou ir à casa dele, viagens, determinadas roupas. A toda hora vocês têm de enfrentar a pergunta: "Mamãe, posso?"; "Papai, posso?". Se você disser sim, provavelmente morrerá de medo, se disser não, haverá uma erupção vulcânica.

*Durante a puberdade, é importante deixarmos aos jovens espaços livres e, ao mesmo tempo, ficarmos atentos para que eles respeitem as regras básicas da convivência.*

Há pais que trazem os seus filhos adolescentes na rédea curta. Esses adolescentes ficam muito em casa, adaptando-se às expectativas dos pais. Eles acham espaços livres em clubes de esporte ou em grupos de adolescentes. Os estudiosos dos adolescentes observaram que, se o estilo educativo dos pais oscilar ou for rigoroso demais, esses jovens reagem, muitas vezes opondo resistência ou desviando o comportamento. Eles começam a correr riscos nos seus grupos ou nas suas turmas ou se confrontam com autoridades, como professores ou a polícia.

Se pais e adolescentes concordarem com uma educação mais liberal, os jovens terão muito espaço a ser preenchido criativamente, conscientes das tendências atuais e com intensa alegria de viver. Esses jovens dão muita importância a boas conversas, estabelecem limites claros entre eles e os pais, questionam convenções da sociedade e mostram engajamento crítico. Eles dão importância também a uma boa formação escolar e são exigentes no que se refere a relações afetivas.

A família é muito importante para os jovens. É nela que eles vão se formando, é ela que lhes transmite a sensação de estarem protegidos e é o lugar onde eles podem viver conflitos e dar uma forma à sua vida. A arte de ser pais consiste, por um lado, em estarem presentes e dispostos ao diálogo e, por outro, em ir passando responsabilidade aos jovens adolescentes, tornando possível seu desligamento. Durante a adolescência, nós devemos estar disponíveis, mantendo sempre o diálogo. Essas conversas, entretanto, raramente podem ser "com hora marcada". É melhor esperar atentamente pelo momento certo. Muitas vezes, viajando de carro, tomando um refrigerante, em situações de doença ou em outras situações do dia-a-dia, de repente têm início conversas profundas e sérias. Se nós não aproveitarmos essas oportunidades, perderemos muitas chances produtivas!

Uma escritora, mãe de quatro filhas, afirma que o importante é permitir liberdade, mas insistir também nas regras básicas da convivência. Calma e serenidade, mas também humor, devem ser atitudes constantes dos pais durante a adolescência dos filhos.

De modo algum darei conselhos sobre o que pode ser permitido ou proibido a sua filha. Essas são decisões de vocês como pais, e vocês têm de assumir as responsabilidades. Mas uma coisa é certa: vocês têm de ter posições claras e também defendê-las. Porque sua filha precisa dos seus conselhos e da sua orientação! Agora, se ela seguirá ou não esses conselhos, é uma outra questão.

*Quem proíbe demais corre o perigo de ouvir mentiras, quem permite demais expõe a filha a riscos desnecessários.*

Não fiquem surpresos se sua filha começar a contradizê-los de vez em quando, é uma atitude totalmente normal nessa idade. Ela tem de aprender a achar o seu próprio caminho e, para isso, precisa ensaiar, às vezes, com palavras! A mesma escritora referida acima diz que a adolescência é também, com certeza, uma época de enorme egoísmo, talvez até de narcisismo ou, simplesmente, de desequilíbrio. Os jovens parecem estar ocupados unicamente consigo mesmos, a tal ponto que eles quase não conseguem perceber os outros. Então, não leve a mal todo ataque de raiva! Mas deixe sempre convencer-se por bons argumentos.

## Adolescência e escola

*Os jovens têm de aprender, passo a passo, a assumir as responsabilidades que os adultos lhes atribuem.*

Durante a adolescência, o rendimento de algumas jovens cai muito. Considerando as mudanças drásticas às quais elas são expostas, isso é compreensível. Com paciência e compreensão você apóia essas meninas, com castigos e pressão, você acaba asfixiando-as.

Já aconteceram muitos casos em que jovens desesperadas tiraram a própria vida porque o seu rendimento escolar não satisfazia os pais. Por favor, pense bem nisso. Na Alemanha, entre pessoas com menos de trinta anos, uma morte a cada quatro é causada por suicídio. Em 1997, morreram, na cidade de Hannover, que tem 600.000 habitantes, 25 pessoas como vítimas de acidentes de trânsito, 21 pessoas em conseqüência de consumo de drogas e 112 pessoas por suicídio! É bem verdade que os jovens cometem mais suicídio do que as jovens, mas os pais devem levar esses números a sério, porque durante a adolescência, as nossas filhas precisam da nossa atenção especial; e se elas tiverem problemas no colégio, nós temos de estar ao seu lado.

Se, na sua opinião, sua filha é preguiçosa, então converse com ela sobre o assunto, mas não a ponha no banco dos réus!

As jovens têm de assumir as suas responsabilidades, mas isso deve acontecer passo a passo. Quem não cumprir com as suas obrigações, também não terá o direito a privilégios. "Você pode ir ao cinema, mas, antes, tem que fazer os deveres de casa." "Eu levo você sem problemas para a casa da sua amiga se você limpar antes o seu aquário." Se propostas justas desse tipo não adiantarem, serão necessárias conversas entre os pais da adolescente, com as professoras dela, com outros pais ou com um terapeuta. Às vezes, pessoas de fora podem entender melhor qual é o problema e contribuir para resolvê-lo.

O colégio é também o lugar onde as jovens podem encontrar as suas amigas e outros colegas interessantes. Se houver uma boa atmosfera na escola, com um diálogo positivo entre os alunos e os professores, os adolescentes aceitarão também que se exija deles um empenho especial. Isso fica bem claro com a dedicação enorme dos jovens em projetos escolares, por exemplo, na preparação de uma apresentação teatral ou em campanhas de doação.

A terapeuta Marianne Franke-Gricksch, da cidade de Munique, mostra em seus livros que a compreensão mútua entre jovens pode se aprofundar muito, desde que os adultos e, especialmente os professores, os orientem nesse sentido. As suas "constelações familiares", nas quais todos os papéis eram preenchidos por adolescentes, foram uma contribuição importante para aquilo a que hoje geralmente chamamos de "pedagogia diferenciada conforme o sexo". Assumindo papéis de mulheres e homens, jovens de ambos os sexos puderam aprender muito sobre os sentimentos de vida dos adultos, alcançando um grau de maturidade incomum a essa idade.

## Crises da adolescência

Crescer e entrar no mundo dos adultos é a fase mais difícil da vida. Por isso, não é de surpreender que muitas jovens entrem em crise durante essa fase. Mas, através de conversas e apoio dos pais, de amigas, das madrinhas ou de outras pessoas que tenham empatia e competência, muitos problemas podem ser resolvidos.

As meninas precisam, nessa fase, mais do que em outras, de pais fortes. Segundo os especialistas, não estamos falando de pais que conseguem impor as suas vontades às filhas: pais fortes são aqueles que têm convicções pelas quais as filhas possam se nortear.

Nossas filhas não só deveriam conhecer as nossas convicções, mas também deveriam sempre ter a certeza de que nós, pais, nunca as deixaremos na mão, mesmo quando elas errarem. Somente a partir dessa base de confiança é possível um diálogo sincero entre pais e filhas.

Entretanto, as crises, também quase sempre, representam oportunidades. Quando uma jovem, com os seus cabelos pintados de azul, a sua raiva, o seu comportamento mal-educado, o rendimento escolar em baixa, os seus furtos ou a sua anorexia, vai sacudindo a família inteira, existe aí também uma oportunidade de mudar as coisas, de ousar dar uma volta por cima.

Uma terapia familiar ajuda não só a adolescente que apresenta um desvio de comportamento, mas a família inteira. Identificando conexões, desvendando mistérios, esclarecendo enredos, todos acabam ganhando. Depois de superar uma crise com sucesso, as relações dentro de uma família tornam-se mais maduras, mais profundas e mais carinhosas.

Eu gostaria de focalizar três "crises" típicas que atingem cada vez mais as adolescentes: transtornos relacionados a alimentação, drogas e depressão.

## Transtornos comportamentais relacionados à alimentação

Principalmente as adolescentes, mas também os adolescentes, sofrem de transtornos comportamentais relacionados à alimentação, como anorexia nervosa, em que uma jovem tem perda de peso intencional, ou bulimia, quando a jovem come descontroladamente para, em seguida, provocar vômitos.

É evidente que esses transtornos só podem acontecer em pessoas que tenham a possibilidade de comer suficientemente. Contudo, o que falta a muitos adolescentes, nas sociedades industriais ocidentais, é o afeto natural, horas passadas junto com os pais e serenidade familiar. Vivemos sob uma pressão muito grande, achamos que temos a obrigação de trabalhar muito e andamos sempre estressados, esquecendo, muitas vezes, que as nossas crianças desejam coisas simples: serem ouvidas e compreendidas e que se tenha tempo para elas.

## Histórias do coração

Em um livro sobre crises de adolescentes na fase de desenvolvimento, uma autora alemã relata o caso de Carina. Com 15 anos de idade, ela acha que seu irmão mais novo é o filho predileto da mãe e que ela não recebe afeto suficiente. A jovem vê pouco o pai, que é muito amado por ela. Quanto à mãe, Carina não consegue, por um lado, ser sua companheira, por outro, sente-se muito tolhida como filha. Ela passa a não se alimentar direito, e a vida dela chega a ficar ameaçada; medindo 1 metro e 68 centímetros e pesando somente 44 quilos, ela é internada no departamento de psiquiatria infantil e de adolescentes.

Com a ajuda de conversas individuais, de terapia ocupacional e de equoterapia, a terapia com cavalos, Carina acaba por libertar-se e sarar. Ela escreve sobre si mesma: "Meus pais não são um modelo para mim, eles não me entendem, mas sempre fingiam que tudo estava em ordem. Antigamente, meu pai viajava muito, a negócios, muitas vezes eu o via somente nos finais de semana. Eu acho que minha mãe queria substituí-lo e que ela tentava manter a aparência de uma família harmônica, mas ela não está feliz, nem ao menos contente ela está. Sei lá, eu tenho a sensação de que deveria ajudá-la. Às vezes fico pensando que sou menos filha dela do que sua companheira".

Lendo nas entrelinhas, vemos claramente quando deveriam se acender os nossos sinais de alerta: conflitos são normais durante a adolescência, mas sua filha se sente totalmente incompreendida? Ela tem a sensação de ter de ajudar você? Se for assim, é bom que vocês façam uma terapia familiar, antes que sua filha tenha uma crise que ponha em risco a própria vida.

*Às vezes, as crianças calam sobre os seus verdadeiros sentimentos, porque temem que os pais possam sofrer.*

Se vocês escutarem sua filha desde o começo e se vocês e ela manifestarem abertamente os seus sentimentos, a convivência familiar poderá melhorar bastante. Embora as adolescentes sejam, em princípio, cooperativas, às vezes elas não falam sobre os seus verdadeiros sentimentos porque temem que os pais possam sofrer. Carina certamente nunca pediu: "Papai, fique aqui, eu preciso de você!" e provavelmente não manifestou abertamente a raiva que sentia do irmão mais novo, porque ela queria ser uma menina bem-educada.

Entretanto, os pais deveriam ter interpretado o comportamento de Carina para que pudessem ver que ela não estava bem e para tomar as primeiras medidas para sua melhora. Se sua filha é uma daquelas pessoas que põem para fora os próprios sentimentos, vocês não devem ficar perplexos. Trata-se de uma ótima estratégia de sobrevivência! E vale a pena ver nessas mensagens uma oportunidade para refletir sobre o próprio comportamento.

## Refúgio nas drogas

### Histórias do coração

Também Lisa está se sentindo incompreendida pelos pais, quando começa, aos treze anos, a consumir álcool regularmente. Ela se rebela contra os pais, que reagem com castigos, rigor e controle.

"Logo você estará na sarjeta!", profetiza o pai. Ele é o típico acusador, que vê defeitos em tudo. A mãe é totalmente o contrário. Ela tenta empurrar os problemas para debaixo do tapete e finge não notar quando Lisa bebe. Afinal, as aparências devem ser mantidas.

Lisa sente-se como uma bola de pingue-pongue entre a mãe e o pai. A mãe não é um modelo para ela, porque não tem uma personalidade forte nem opinião própria. O pai, ao contrário, com sua força e energia, poderia servir mais como modelo, mas, ao mesmo tempo, Lisa o odeia pelo autoritarismo e pelos repetidos castigos.

Através de uma terapia familiar, os pais conseguem lançar novamente o olhar sobre a própria vida e assumir os seus sentimentos.

O pai concede mais liberdade a Lisa, mas também exige que ela siga determinadas regras, como não beber álcool e, finalmente, dedica mais atenção à filha, levando-a freqüentemente de carro às festas e fazendo elogios a ela, melhorando assim a relação entre eles. Pai e filha podem novamente conversar. A mãe começa a dar a sua opinião com mais freqüência, mostrando a Lisa que tem os seus próprios objetivos e interesses, mas que apóia o pai incondicionalmente quando ele exige que Lisa respeite regras.

No seu aniversário de 14 anos, Lisa, finalmente, tem a permissão de fazer uma festa com os amigos, sem álcool ou cigarros, mas com som alto.

Acontece com muita freqüência que as jovens recorram a drogas, álcool e cigarros durante a adolescência. Vocês, como pais, nunca poderão impedir isso totalmente; no entanto, vocês sempre podem dar um bom exemplo e manifestar a sua opinião. Se sua filha cometer erros, ela tem de assumir as conseqüências.

Os pais devem deixar claro: "Nós estamos à sua disposição e ao seu lado, mesmo quando você se meter em encrencas. Vamos pensar juntos sobre como consertar o prejuízo".

# Depressão

Um namoro rompido, a morte ou uma doença grave de alguém da família, estresse e fracasso escolar, ser rejeitado por uma pessoa amada, tudo isso pode causar depressões e até tentativas de suicídio. Os psicólogos afirmam que depressão, muitas vezes, tem algo a ver com medo. Como pais, deveríamos levar a sério, e muito, os primeiros indícios: desinteresse, cansaço, falta de cuidados pessoais, sentimentos de culpa e tristeza profunda. Entre adolescentes, a taxa de suicídios é extremamente alta.

As jovens que têm depressão raramente se abrem com outras pessoas, têm poucas amigas, talvez nenhuma, e se refugiam em si mesmas. Às vezes, um cachorro ou um cavalo pode ser uma grande ajuda para uma adolescente assim. Caso vocês não consigam ter conversas compreensivas com sua filha, conversas que apontem soluções e transmitam esperança e otimismo, vocês devem recorrer, sem falta, a ajuda terapêutica. É possível ajudar jovens depressivas de múltiplas maneiras, como comprova o dia-a-dia de clínicas terapêuticas para crianças e adolescentes.

Não percam essa chance e entrem em contato com instituições dessa natureza. Vocês acharão endereços e telefones pela Internet ou nas listas telefônicas. Obviamente, sua filha precisa concordar com a terapia. Numa conversa preliminar, geralmente gratuita e sem a presença dela, vocês obtêm informações sobre como motivar sua filha e sobre as instituições certas, de aconselhamento ou de terapia, para o seu problema específico.

# Capítulo 6

# Relações familiares

## Mães e filhas

A relação entre mãe e filha é única e intensa. As bonequinhas russas que você deve conhecer, aquelas bonecas coloridas que estão uma dentro da outra, simbolizam, com muita clareza, essa relação estreita: através das gerações, uma mulher nasce de outra.

Pais e filhos não podem ter uma relação de intensidade comparável, porque os nove meses de gravidez são insubstituíveis. Por isso, uma relação entre pai e filho, por mais estreita que seja, sempre é completamente diferente da relação entre mãe e filha.

É comum que uma relação intensa entre mãe e filha nem sempre seja boa também. Nela, exerce um papel importante o relacionamento que essa mãe teve, quando jovem, com a própria mãe. Uma socióloga alemã escreveu a esse respeito: "Minha mãe tratava a mãe dela com desdém e desprezo. Eu aprendi que é normal uma filha desprezar a mãe. Com isso, minha mãe me forneceu um modelo. Vinte anos mais tarde, da mesma maneira com que ela tratava a mãe, eu me comportava para com ela".

*Toda filha de uma mãe "desnaturada" corre o risco de seguir o exemplo da mãe; assim, as mágoas são transmitidas de uma geração para outra.*

Às vezes, quando as mulheres estão convencidas de terem ficado para trás na sua formação ou de não terem alcançado os seus objetivos profissionais, têm a esperança de que as filhas, em seu lugar, consigam atingir os objetivos que haviam proposto para si mesmas. Essas mães infligem às meninas, com as melhores intenções, algo que não corresponde às necessidades delas. Assim, uma menina vai ter de estudar piano ou balé, embora ela goste muito mais de jogar handebol. Essas filhas se sentem, então, como numa camisa-de-força e, muitas vezes, aplicam mais tarde um doloroso contragolpe.

Uma mulher cuja mãe não lhe pôde dar amor ou deu pouco sempre terá dificuldades em ser uma mãe carinhosa: são os casos conhecidos de mãe "desnaturada", que, por sua vez, foi uma criança que não recebeu os cuidados que merecia, filha de outra mãe "desnaturada", formando-se um círculo vicioso. Se uma relação mãe-filha desse tipo for ocultada por uma aparência normal, muitas vezes será transmitido, de geração em geração, um comportamento caracterizado pela falta de amor ou, até, por abusos. Mas se uma terapia revelar os impasses ocultos na história familiar e apontar um caminho de saída, o círculo vicioso pode ser rompido.

Em muitas conversas com mães sobre suas filhas, percebi um ódio muito grande. No conto de fadas que narra a história da "Branca de Neve", esse problema é abordado também. Se você teve problemas com sua filha desde o começo, se você realmente não consegue se relacionar com ela de nenhuma maneira ou se o comportamento dela for um enigma para você, eu aconselho que trabalhe a relação com sua própria mãe, ou que procure uma terapeuta da sua confiança. Afinal, nos tempos de hoje, existe a possibilidade de curar-se.

Se, ao contrário, você se sentir intimamente ligada a sua filha por um laço de amor profundo, vocês terão provavelmente uma época harmoniosa e sem problemas e resolverão os pequenos conflitos do dia-a-dia com humor e empatia, pelo menos até a adolescência.

Converse com sua filha sobre suas ancestrais! Descubra as pequenas e grandes façanhas dessas mulheres. "Hoje, eu me lembro de muitas coisas que minha avó me ensinou na cozinha", diz Ângela. "Ela mantinha uma ligação forte com a natureza, plantava legumes e sabia muito sobre alimentação." Eu acho importante manter vivo esse saber feminino, nos tempos de pizzas congeladas e McDonald's.

Devemos procurar conhecer os trabalhos artesanais que as mulheres faziam antigamente! Como elas sabiam fazer tricô, crochê, bordados, rendas de bilro! O que você conhece de tudo isso, que técnicas você domina até hoje? Talvez você tenha que visitar um museu com sua filha para reavivar a memória, mas eu acho importante que as nossas filhas saibam que ser mulher significa mais do que aquilo que nos sugerem Britney Spears ou Christina Aguillera.

Sim, o nosso passado pode nos dar forças: tente imaginar que todas as mulheres da sua família, que viveram antes de você, estejam ao redor de você, abençoando-a. Já pensou na intensidade dessa força?

Sua filha tem sempre você como modelo. Você tem condições de observar atentamente as diferenças entre ela e você mesma. Se você respeita e valoriza a individualidade da sua filha, ela poderá desenvolver todos os dons e talentos dados a ela.

Geza é uma mulher elegante, muito bem cuidada e que se veste com bom gosto. Com a filha Lena, 7 anos, ela teve problemas desde o começo. "Ela chorava sem parar", Geza me conta. "Nada a satisfazia."

Essa última observação deixa claro que Geza culpa a filha pequena por ter irritado ou desafiado os pais, intencionalmente, já como recém-nascida. O pai de Lena é autônomo e trabalha muito, também à noite. Assim, durante o dia, Geza fica quase sempre sozinha com a menina e a raiva que sente daquele pequenino ser que só sabe chorar vai crescendo. A pequena Lena percebe essa recusa, sente-se rejeitada e sente também que não é bem-vinda. Entrando em pânico, ela chora cada vez mais alto. "Ela chegava a vomitar", diz Geza. "Quando tinha dois anos, ela ficava em pé e gritava até vomitar."

Hoje, Geza tem problemas, sobretudo com o rendimento escolar de Lena. Ela se recusa a fazer o dever de casa e não quer fazer exercícios. "Não fica contente com nada!", diz a mãe. "Quando eu faço compras com ela, sempre quer mais e mais coisas."

Lena luta pelo seu direito de existir. Ela é insegura e quer sentir claramente que está sendo amada. O amor pode ser mostrado a uma criança quando passamos muito tempo a seu lado, escutando-a e observando-a atentamente. Só tem sentido criticar uma criança quando você tiver com ela uma relação que funciona. No caso de Lena, acontece o contrário: com as críticas acerca dos deveres de casa, o seu comportamento piorará e a sua vontade de estudar diminuirá ainda mais.

Geza poderia combinar com a professora e ignorar por um tempo o rendimento escolar da filha para se dedicar exclusivamente a melhorar a relação com ela. Por exemplo, as duas fariam um lanche, todas as tardes, e aproveitariam para conversar sobre as coisas que mexem com mãe e filha. Esse ritual pode abrir novos caminhos e criar confiança.

Aparentemente, a relação entre mãe e filha foi conturbada desde o começo. Talvez o parto tenha sido complicado, ou Lena tenha sido acometida por problemas de saúde que ninguém descobriu. Também é possível que Geza, na verdade, não tenha querido esse bebê e que a criança sentisse que era rejeitada. Embora Geza se esforce muito, seja uma mãe ativa e, materialmente, não deixe faltar nada a sua filha, as duas, ao que parece, não conseguiram construir uma relação baseada na confiança mútua. Elas não confessam nem a si mesmas que não confiam no próprio amor.

Para começar a mudar essa história, a mãe de Lena deveria dirigir a atenção às suas origens familiares. Quais são os problemas do passado, que ela vai carregando consigo, que causam os efeitos negativos de hoje? O que aconteceu com a mãe e com a avó dela? Quem não foi respeitada? O que foi abafado? Quais são as etapas para a cura?

A conscientização de fatores que pesam na história familiar e o resgate de passos necessários às vezes podem ajudar a ver a própria filha com outros olhos. A partir dessa perspectiva, mãe e filha devem brincar ou desenhar juntas. Com isso, a menina teria a chance de expressar os seus sentimentos e trabalhá-los de forma lúdica. Contos de fadas e outras histórias também podem ter efeitos curativos. A exigência *"Minha filha tem de ser como eu quero"* perderia o significado.

Outro fator que pesa na história de Geza e Lena é o fato de que o pai, que poderia ter uma influência positiva, quase nunca está em casa. Assim, a filha perde a grande chance de fazer experiências positivas com homens.

## Histórias do coração

"O grande deslumbramento" é como Thessa chama a experiência com a filha Nina. "Ela era, desde o começo, tão diferente de mim. Na hora do parto, ela soltou somente um grito forte: e eu soube que ela iria ser forte." Thessa é uma pessoa reservada e de trato fácil. Ela dá pouca importância às aparências. Por isso, ficou atônita quando sua filha de três anos começou a trocar de roupa várias vezes ao dia. Quando a menina descobriu esmalte de unhas, na casa de amigas, ficou doida por ele. "Aos quatro anos, ela queria sapatos de saltinho! Com certeza, não puxou a mim!", conta Thessa. E com mais uma coisa ela se maravilha: "Minha filha diz sempre o que quer; e depois ela insiste em conseguir. É cansativo, mas também a admiro por isso". Thessa é totalmente diferente da filha, mas aceita-a como ela é, e mais, ela se surpreende com a filha e aprende com ela.

Essa atitude torna possível uma relação boa. Como toda mãe, Thessa também tem um desejo, uma expectativa: "Nina será uma pessoa forte". Mas esse prognóstico não tem efeitos negativos porque não significa uma rejeição. Pela sua atitude observadora e uma certa curiosidade para com a filha, Thessa consegue amar Nina incondicionalmente. E essa é a melhor garantia para uma relação feliz entre mãe e filha.

## A mãe que trabalha fora: qual a opinião de sua filha?

A Alemanha faz parte desses países em que tudo é menos fácil na vida de mães que trabalham fora. Por exemplo, quando uma mulher, mãe de três filhos, concorreu a um alto cargo, surgiu logo a pergunta se o cargo era compatível com a craiação das crianças. Entretanto, ninguém fez essa pergunta ao seu concorrente, um pai de cinco filhos.

Muitas vezes, um olhar para além das fronteiras vale a pena: na França, por exemplo, as famílias cujas mães trabalham fora recebem um auxílio pecuniário para poder pagar uma pessoa qualificada como babá; na Dinamarca e na Suécia, o trabalho em meio período é muito comum, e existem muitas escolinhas que aceitam também crianças com menos de três anos. Na Alemanha, ao contrário, as mães têm bastante dificuldade em achar uma vaga para as crianças pequenas.

*Você pode se decidir a favor ou contra uma atividade profissional, mas uma coisa é certa: somente pais felizes têm filhos felizes.*

Mas será que é bom trabalhar fora, para quem é mãe? E qual é a opinião da sua filha sobre isso?

Vejamos: será que você quer realmente voltar a trabalhar? Você se sente obrigada a trabalhar por motivos financeiros? Ou é somente porque você não quer ser considerada uma dona de casa ultrapassada? O seu trabalho fora de casa lhe dá alegria? Ou você prefere ficar junto com sua filha? No caso de você querer voltar a trabalhar, quantas horas diárias ou semanais você acha aceitáveis?

Existe uma receita simples: somente pais felizes têm filhos felizes. A infelicidade da mãe se transmite à criança. Você nota isso no seu dia-a-dia. Então, se você faz parte dessas mulheres que amam a sua profissão e se sentem amarradas à filha como uma escrava, assuma a sua posição e se vire! É preferível procurar com calma uma babá qualificada para sua filha a ficar plantada em casa, decepcionada, chorando só de olhar a comidinha de bebê ou torcendo as fraldas de raiva. Porque o isolamento total de mãe e filha, por horas e horas dentro de uma casa ou um apartamento, com certeza não é natural, no sentido original da palavra.

Antigamente, era sempre um grupo de mulheres que se ocupava e cuidava das crianças, fazendo, ao mesmo tempo, outros trabalhos importantes. Desta maneira, as mães eram aliviadas da "carga" de cuidar dos filhos e as crianças tinham bastante espaço para novas experiências e para um processo de aprendizagem sociável. Em povos indígenas, por exemplo entre os moradores das Ilhas Trobriand, pertencentes a Papua-Nova Guiné, comportamentos agressivos são praticamente desconhecidos. As crianças quase nunca choram! Sempre tem alguém que as consola e que brinca com elas, e, se precisar, mamãe está por perto.

Na Alemanha, existem cada vez mais mães solteiras. A maioria delas, querendo ou não, precisa trabalhar para prover o sustento familiar. Não importa se você trabalha por vontade própria ou por necessidade, uma coisa é certa: a sua atividade profissional não prejudica sua filha, desde que ela esteja acostumada a uma outra pessoa que cuide dela, porém com muito carinho e confiabilidade. Mas quais são as chances concretas de achar uma creche?

Na Alemanha, para crianças com menos de três anos, praticamente não existem instituições onde é possível deixar, com a consciência em paz, uma criança pequena. Na maioria dos casos, o número de crianças para cada educadora é assustadoramente alto.

Cada país tem a sua realidade. Mesmo assim, visite algumas creches para ter uma idéia de como funcionam; se for possível, até antes do nascimento do seu bebê. Em muitos casos, é preciso inscrever a criança logo depois de nascer, para obter uma vaga. Qual é a sua impressão sobre as crianças que você vê durante as suas visitas? Como as educadoras tratam as crianças? Você gostaria de ser uma criança nesse lugar?

*Na Alemanha quase não existem instituições onde é possível deixar, com a consciência em paz, uma criança com menos de três anos.*

Às vezes, uma babá confiável, que cuide das crianças durante o horário de trabalho dos pais, é uma boa alternativa. Obviamente, custa caro! Mas seja sincera, alguém que substitua uma mãe realmente bem vale cada centavo do seu salário.

Antes de contratar uma babá, você deve observar muito bem como ela lida com a sua filha e deixar as duas à vontade por bastante tempo, para se conhecerem. E, quando você notar que já se formou uma relação estável, comparável à relação com a avó, a tia ou o tio, então poderá se dedicar a uma atividade profissional, com a consciência em paz. Porque todas as pesquisas com filhos de mães que trabalham fora mostram que essas crianças são mais inteligentes e responsáveis, adquirindo mais experiência de vida do que crianças cujas mães não têm uma atividade profissional. Mas isso é estatística e, num caso individual, tudo pode ser bem diferente e é isso que importa. Para sua filha, obviamente, seria maravilhoso se, durante a ausência da mãe, o próprio pai pudesse cuidar dela. Mas devido ao fato de que a grande maioria dos homens não quer renunciar ao trabalho, que postos de trabalho de meio período quase não existem e que, além disso, os homens ganham geralmente mais do que as mulheres, essa variante é muito rara. Que pena!

Dessa maneira, a "sociedade sem pais" que aconteceu na Alemanha do pós-guerra, em que muitas crianças cresceram sem os pais, mortos na guerra, vai se perpetuando por outras gerações. Outro problema dessa distribuição de papéis é que a intimidade do casal pode sofrer, já que o contato é reduzido a poucas horas diárias.

*Filhos de mães que trabalham fora são mais responsáveis e têm mais experiência de vida do que crianças cujas mães ficam em casa, é o que diz a estatística.*

Algumas mulheres gostariam de exercer a sua profissão em casa, o que é possível em várias áreas, graças à tecnologia moderna. Pode ser uma boa solução quando não há pressões, isto é, se você puder dispor livremente do seu tempo, determinando também o quanto você quer trabalhar. Se não for assim, você, sua filha e afinal toda a família sofrerão com isso: a criança, por receber poucos estímulos e não ter companhia para brincar; você, por não dar conta do trabalho e ser interrompida a toda hora; sua família, porque sua atuação não terá regularidade, já que trabalho e vida familiar vão se misturando.

Se você está entre as mulheres que interrompem a atividade profissional com prazer para se dedicarem exclusivamente à família, então assuma isso e curta esse período! Neste caso, você terá provavelmente muitas possibilidades de desenvolver atividades criativas: você pode gostar de cozinhar, de fazer brinquedos artesanais, de costurar roupas infantis, de se dedicar à decoração da sua casa, de escrever, de desenhar, de fazer fotografias, enfim, de ter um *hobby* em que você se realiza. No melhor dos casos, perto de você mora uma amiga que também é mãe de uma criança pequena e que poderá ajudá-la de vez em quando. Se você curte ficar junto com sua filha e observar os progressos que ela faz e como se desenvolve, não deixe que alguém insinue que o seu estilo de vida é fora de moda ou que você põe em risco, levianamente, a sua carreira profissional! Steffi Graf e milhares de outras mulheres fazem exatamente isso!

*É simplesmente maravilhoso conviver com uma criança e vê-la crescer.*

É simplesmente maravilhoso conviver com uma criança! Lembro aqui Steve Biddulph, o conhecido terapeuta familiar australiano que se pronuncia rigorosamente contra deixar crianças aos cuidados dos outros. A filosofia dele se sintetiza nas perguntas: por que vocês arranjaram um filho se o deixam aos cuidados dos outros? Será que vivemos numa sociedade de cucos, em que colocamos os filhotes no ninho dos outros? (Para maiores informações sobre o autor citado, veja seus livros já publicados pela Editora Fundamento no Brasil, na página 132.)

Mas Steve Biddulph é um homem. Ele não sabe o que significa, na prática, ficar em casa a sós com um bebê ou uma criança pequena todo santo dia, porque ele exerce uma profissão privilegiada, exatamente como eu. Entretanto, o modo de viver da maioria das pessoas está interligado às necessidades econômicas e seria injusto explicar os problemas familiares relacionados às crianças, causados exatamente por essas necessidades, unicamente vinculados à atividade profissional das mães. Uma observação intermediária: o "modo econômico" da nossa sociedade não é, de maneira alguma, sem alternativas, e todos nós, tendo filhos ou não, somos responsáveis pelo nosso modo de viver.

Muitos casos de abuso ou descuido acontecem justamente nas famílias em que as mães ficam em casa: são pais desorientados que não dão conta da situação. Escolas maternais e colégios com horário integral seriam a salvação para muitas dessas crianças! Mas também é preciso perguntar: que tipo de cultura é essa, em que foi necessário que pais se transformassem assim? Comparando a nossa vida com a das pessoas nas Ilhas Trobriand, é fácil achar a resposta: nós estamos pagando um preço alto pela nossa chamada civilização.

*Organize a sua vida de maneira que você tenha o máximo de realização pessoal, inclusive no que se refere à profissão e à carreira.*

Mas também é verdade que nós, pais, levamos dentro de nós o germe de uma nova cultura. As nossas crianças são o nosso futuro! Quais são as capacidades de que vocês precisam para ganhar o futuro e perpetuar a vida? E em quais circunstâncias essas capacidades poderão florescer?

Eu gostaria de dar um conselho a você: quanto à atividade profissional, deixe falar o seu coração, se a sua situação financeira permitir. Organize a sua vida de uma maneira que você tenha o máximo de realização pessoal e de felicidade. Essa vida, como deveria ser na sua opinião? Deixe de lado todos os argumentos e contemple unicamente uma vida imaginária em que você se sinta feliz. Faça um esboço dessa vida, num desenho, ou por escrito, ou na sua imaginação, desde que você esteja no meio. É isso mesmo? É isso que você quer?

Agora, pense junto com o seu parceiro, os seus amigos e parentes que possibilidades existem para que a vida dos seus sonhos vire realidade, passo a passo.

Neste ponto, eu gostaria de lhes confidenciar a minha visão pessoal. O meu sonho é resgatar uma vida em comunidade, superando a individualização: famílias jovens morando juntas, uma apoiando a outra. As crianças brincando juntas, as mães conversando entre si, e os pais trocando idéias sobre o que é difícil e o que dá alegria. Todos participariam das tarefas do lar.

Algumas mães e alguns pais teriam uma atividade profissional fora da comunidade, os outros cuidariam das crianças. Pertenceriam também a essa grande família alguns casais sem filhos e solteiros que assumiriam tarefas que lhes agradassem. Há avôs e avós adotivos, padrinhos e madrinhas. As filhas e os filhos teriam muitos modelos. Os conflitos seriam resolvidos de maneira construtiva, e as crianças iriam conhecendo projetos de vida e valores diferentes. Cada um poderia contribuir para a comunidade com as suas capacidades e obter ajuda nas coisas que não consegue fazer. Solidariedade seria um assunto importante.

Esta é a minha visão e o meu sonho sobre uma vida em comunidade.

## Quando as meninas perdem a mãe

É uma situação muito difícil para toda criança quando, após a separação ou o divórcio, a mãe deixa a família, ou quando ela morre por causa de uma doença ou em conseqüência de um acidente. Enquanto para um menino pequeno a perda da mãe significa perder o seu primeiro grande amor, a menina pequena não só perde o primeiro amor, mas também a pessoa com quem mais se identifica.

"O que posso fazer?", muitas vezes me perguntam pais desesperados. A minha resposta é: ficar de luto, chorar. A perda de uma pessoa amada sempre é dolorosa, mas ela se torna insuportável quando não é permitido ficar triste. O fato de que homens têm geralmente dificuldade em mostrar sentimentos, como tristeza e medo, deixa as meninas pequenas inseguras. Por isso, converse com sua filha sobre sentimentos, mas demonstre também que você tem condições de lidar com eles e resolver problemas.

Conversando num grupo sobre a sua separação ou a sua perda, você não só ajudará a si mesmo mas também a sua filha. Existem livros ilustrados ou infantis que abordam os temas de separação e morte. Leiam juntos alguns desses livros. Chorem juntos. Ponha uma foto da mãe na parede, mesmo se você estiver com raiva dela, se for o caso, por causa de uma separação. Sua filha descende dela pela metade, por isso é importante respeitar a mãe. Não fale mal da mãe de sua filha, mas fale sobre lembranças e momentos bonitos. Como pais, vocês estarão ligados um a outro para sempre, não importa que rumo tomar a vida conjugal de vocês.

*Nunca fale mal da mãe de sua filha, mesmo que você esteja com raiva dela, por causa de uma separação dolorosa.*

Caso sua mulher tenha morrido, você deveria, junto com sua filha, visitar regularmente o túmulo. Sobre o assunto, uma socióloga afirmou que considera um grande erro não deixar as crianças participarem de um funeral. O funeral é o lugar e o momento de se despedir. Obviamente, nele se chora, e isso é bom! Por que motivo as crianças não deveriam ver as tristezas dos adultos? Quem pode dizer que o corpo voltará ao pó de onde ele veio dará a uma criança tranqüilidade e esperança.

Se você, depois de um período de luto que, em muitas religiões, dura um ano, se apaixonar de novo, leia sobre novos relacionamentos no próximo item.

## Pais e filhas

O pai é o "primeiro homem da vida" de uma menina e tem, como tal, uma tarefa importante. Ele representa o masculino, o outro que fascina, e com isso ele funciona como um modelo. Todos os outros homens que terão alguma importância na vida de sua filha serão comparados a ele. Se existe uma relação muito intensa e boa entre você, que é pai, e sua filha, mais tarde provavelmente ela escolherá um homem que se pareça com você.

Toda mulher que teve experiências negativas com o pai procurará um homem que seja "totalmente diferente" e, às vezes, acaba por entrar, apesar de tudo, num esquema parecido com o da infância. Se não for feito um trabalho de conscientização em cima de pontos que pesam numa relação, se não forem dissolvidos os emaranhados, então as dependências se repetirão, de geração em geração. Sabe-se, por exemplo, que meninas que sofreram abusos, muitas vezes têm casamentos em que ela e/ou a filha sofrem abusos de novo.

*O pai é o "primeiro homem" da vida da filha e, por isso, tem tarefas importantes a serem cumpridas.*

Meninas que têm complexo paterno positivo admiram o pai, gostam de se adaptar a ele e fazem muitas coisas para agradá-lo. Os pais, em compensação, têm muito orgulho de suas filhas e vivem incentivando-as. Também nesses casos, é importante que, durante a adolescência, aconteça um desligamento. Caso contrário, primeiro a menina e depois a mulher se adaptarão ao masculino por toda a vida e nunca desenvolverão uma identidade própria. A confiança dessas mulheres no próprio valor dependerá da admiração recebida dos homens. É fácil imaginar o drama de uma menina ou de uma mulher assim quando perder o pai ou o marido.

Quem não tiver a experiência de ser amada constantemente pelos pais quando criança sofrerá um profundo golpe na confiança do próprio valor. E quem não se considera uma pessoa de valor se coloca, inconscientemente, como vítima, porque "mereceu isso mesmo". Porém, qualquer pessoa pode se libertar desses esquemas, às vezes, apenas com um trabalho de conscientização, outras vezes com a ajuda de uma terapia, para ser curada. Dessa maneira, as gerações seguintes não serão prejudicadas.

## Histórias do coração

Meu próprio pai está sendo, até hoje, uma pessoa marcante na minha vida. Era uma pessoa profundamente bondosa que dava a nós, crianças, sempre a sensação de sermos desejadas e providas de muitos talentos. Ele sempre tinha muito tempo para nós. Perguntando-me como era possível meu pai ser uma pessoa tão carinhosa, fico pensando no fato de que ele perdeu o pai muito cedo. Talvez por isso ele quisesse evitar que nós crescêssemos sem pai! Além disso, ele foi criado só entre meninas. E mais: ele nunca teve de ir para a guerra.

Hoje, felizmente, muitos pais reconhecem que têm um papel importante na vida dos filhos. Outro dia, me diverti bastante ao ler numa revista que até produtores de perfumes ficam refletindo sobre a nova imagem do homem. "Hoje, os homens não precisam mais demonstrar a sua masculinidade", dizia a revista. "A sua atitude social mudou, eles se dedicam também a tarefas do lar, à família." É por isso que eles podem usar perfumes, que, até pouco tempo, eram exclusividade das mulheres!

Você sabe que tipo de pai você é? Um especialista no assunto faz a seguinte classificação:

### *O pai autoritário*

Esse tipo de pai fica espalhando a mensagem de que a mulher tem que se submeter ao homem: isso seria natural, fazer o quê? Não é necessário ter o dom da profecia para ver nesses casos o perigo de que será criada uma "vítima". Se a filha de um pai autoritário não tem uma mãe lutadora, rebelde, ela terá dificuldades em contrariar homens mal-intencionados.

Se você se reconhecer como um pai desse tipo, deveria se perguntar seriamente se é o caso de insistir na sua autoridade. Não seria melhor deixar muitas decisões nas mãos de sua filha? Com isso, vocês se aproximariam e ela aprenderia que, com empenho, inteligência e habilidade, pode vencer sozinha.

## *O pai permissivo*

Esse tipo de pai é endeusado pela filha. Ao mesmo tempo, ela o manipulará e fará com ele o que quiser: "Mamãe disse não, mas talvez eu possa conseguir, apesar disso, muitas coisas com papai...". Assim existe o perigo de que a filha aprenda a manipular o comportamento masculino através da "astúcia feminina". Mais tarde, ao experimentar que outros homens não se impressionam com isso, que um piscar de olhos ou algumas lágrimas não têm nenhum efeito, sua filha terá muitas decepções. O pai permissivo é um bom pai quando mostra à filha que existem regras e limites e que não é possível manipular mãe e pai, jogando um contra o outro. Vendo o lado sensível e necessitado do pai, a filha vai ganhando muita confiança e, mais tarde, continuará pedindo os seus conselhos. Se você acha que pertence a essa categoria de pai, então mostre a sua filha que vale a pena perseguir os seus objetivos com argumentos em vez de emoções.

## *O pai amigo*

O afeto profundo e mútuo que existe entre esse tipo de pai e sua filha pode ser considerado o modelo de toda relação pai-filha. Cuidando da sua filha com esforço sincero, gostando de estar junto com ela e mostrando-lhe isso, um pai dará a sua filha a sensação de ser uma pessoa digna e valorosa. Alguns homens acreditam que é fraco aquele pai que, ao mesmo tempo, é conselheiro e amigo. Mas é o contrário. Esses pais são fortes porque eles tratam a filha com respeito, reconhecimento e amor, que são as melhores condições para uma relação de confiança mútua.

### *Tipos mistos*

A maioria dos pais é uma mistura dos tipos descritos. Mesmo levando em conta que também a mãe tem um papel decisivo e que a menina tem uma cabeça própria, você deveria refletir sobre as "profecias" quanto a esses tipos: seja autoritário e você incentiva sua filha a ser submissa; seja barro nas mãos dela e você a ensina a manipular; seja um cavaleiro com armadura brilhante e você gera dependência; seja humano, conselheiro, amigo e pai, que tenha a consciência e a sensibilidade de adaptar o seu comportamento conforme o momento, e você educa uma mulher que acredita em si mesma e confia em conseguir superar obstáculos com dignidade e honestidade.

Estudos científicos confirmam o que qualquer um pode imaginar facilmente: meninas cujos pais passam muito tempo com elas e que se sentem reconhecidas e afirmadas por eles terão, mais tarde, não só relacionamentos felizes, mas também vencerão na vida, sob outros aspectos.

## Histórias do coração

### *O pai ausente*

Cora é uma conhecida minha. Ela nunca viu o pai, um soldado americano que viveu na Alemanha. Porém, ela teve, a vida inteira, o desejo de vê-lo. Na sua fantasia, ela achou o pai; na vida real isso foi impossível. Crianças podem ficar felizes também sem pais, é verdade. Entretanto, sempre lhes faltará algo. "Você fica com um buraco na sua biografia", disse Cora.

É o mesmo sentimento de muitas crianças adotadas que, quando adultos, começam a buscar os pais biológicos. E recentemente, na Alemanha, durante uma discussão sobre as chamadas "rodas dos enjeitados", lugares em determinados hospitais e conventos onde as mães podem abandonar os filhos recém-nascidos para serem adotados, garantindo o anonimato dos pais, foi levantada a questão de que a toda criança deveria ser concedido o direito de conhecer os pais biológicos. Não importam as circunstâncias de cada caso individual: não conhecer a mãe biológica e/ou o pai biológico é doloroso e dificulta a formação de uma identidade autoconfiante.

Mas os caminhos do destino são diferentes para cada um de nós, e, mesmo assim, toda criança geralmente tem geralmente condições de fazer, com os seus talentos, o melhor possível dentro das circunstâncias dadas. Se você tiver que criar sua filha sozinha, então é importante que ela tenha como referência outras pessoas do sexo masculino, por exemplo, o avô, um vizinho simpático, um professor de música ou um treinador de esporte.

Sua filha deve começar essas relações por vontade própria, às vezes elas simplesmente "acontecem". Talvez ela tenha uma amiga com irmãos mais velhos ou um pai muito dedicado, talvez um assistente social simpático trabalhe no seu jardim-de-infância, ou talvez ela tenha a sorte de ter um professor orientador legal e compreensivo.

Se você, mãe, se apaixonar por outro homem e começar outro relacionamento, então é importante que você e sua filha estejam conscientes de que esse homem não é o pai de sua filha. Ele pode tornar-se um bom amigo, mas nunca pai. Por isso, não permita que esse homem participe da educação de sua filha: isso é e continua sendo uma obrigação só sua. Obviamente, numa situação assim, é preciso que sejam estabelecidas novas regras de convivência, com a participação de todos

os envolvidos. Mas de maneira alguma isso pode chegar a um ponto em que o seu novo companheiro determine o que sua filha pode fazer ou não. No que se refere à reação de sua filha, você, ela e também o seu novo companheiro sempre deveriam levar em conta que o amor nunca pode ser forçado, isso seria uma contradição. Mas o que você pode exigir, sim, é respeito de um para com o outro, sendo que o adulto sempre tem que dar o exemplo.

Pouco tempo atrás, uma mãe desesperada me escreveu que sua filha era teimosa e egoísta e que não tinha nem um pouco de empatia para com seu novo companheiro, dando-lhe um gelo. O que é que essa menina poderia fazer? Ficar feliz porque a mãe está novamente apaixonada? Mostrar empatia por um homem que não é seu pai?

Eu acho que seria exigir demais. Um novo relacionamento é, para a maioria das crianças, um problema. Muitas vezes, as crianças não se manifestam abertamente para poupar a mãe ou o pai. Observando os seguintes pontos você pode dar uma ajuda eficiente a sua filha ou a seu filho:

- Mesmo depois de uma separação ou um divórcio, para a criança vocês continuam sendo mãe e pai; não importa se a relação com o seu ex-companheiro seja boa ou ruim.
- Toda criança tem o direito de amar pai e mãe e de aprender com os dois. Enquanto a criança for pequena, os pais deveriam determinar com quem a criança fica e o que é bom para ela.
- As crianças não têm nada a ver com as brigas dos pais. Elas não podem ser usadas como espiões nem como substitutos do ex-companheiro. Se você, como mãe ou pai, se sente injustiçada, escreva a sua história do seu ponto de vista para que a criança, quando for adulta, possa lê-la e formar uma opinião própria sobre a situação.

## IRMÃOS E IRMÃS: O TEMPERO NA VIDA FAMILIAR

Atualmente, uma família alemã média tem, estatisticamente, menos de 1,5 crianças, sendo que a decisão de ter ou não um segundo filho geralmente é tomada depois do nascimento do primeiro.

*Irmãos são pessoas marcantes durante a vida inteira de uma criança e isso não depende da influência e das expectativas dos pais.*

Através de muitas pesquisas, sabe-se que filhos únicos não têm, de maneira alguma, aqueles defeitos que antigamente as pessoas lhes atribuíam. Filhos únicos não são necessariamente mimados, sabidos ou, no pior dos casos, socialmente incompetentes porque, hoje, a toda criança são oferecidas oportunidades de ter experiências em grupos e de conhecer intimamente, através de amizades, outras crianças e as suas famílias. Assim, uma criança não precisa ter irmãos para aprender a agir de maneira socialmente competente. Mas, caso tenha irmãos, estes serão pessoas marcantes por toda a vida e isso não dependerá da influência e dos desejos dos pais.

Suponhamos que seu primeiro filho seja uma menina. Quando nascer uma segunda criança, a vida dessa menina mudará de maneira incisiva. Se, por exemplo, a segunda criança for outra menina, o perigo de uma situação de concorrência entre as duas será grande, especialmente nos casos em que a diferença de idade for menor do que três anos. Crianças do mesmo sexo precisam se diferenciar uma da outra perante os pais e, em geral, acontece naturalmente que elas assumam papéis diferentes.

A primeira criança talvez seja "a sensata", então a segunda terá dificuldades em ser sensata também ou mesmo em fazer prevalecer essa característica. Talvez passe a ser "a fofa", ou "a atrevida", ou "a esportiva". Essa distribuição de papéis é normal e ninguém pode evitá-la totalmente. Mas se vocês, como pais, conhecerem essa problemática e estiverem conscientes do papel que vocês atribuíram à primeira criança, poderão lidar melhor com isso e reagir à altura aos desafios e problemas. De jeito algum vocês poderão colaborar para fixar as características atribuídas, fazendo observações nesse sentido.

Os filhos mais velhos sempre são "os maiores" e nunca sairão desse papel. Isso demanda um esforço muito grande e às vezes dá raiva! Por isso, de vez em quando, deixe seu filho mais velho ser pequeno de novo, mime-o um pouco e compreenda sua tristeza e sua raiva!

As meninas mais velhas assumem, não raro, o papel de babá, ou são "a grande ajuda da mamãe". Foi comprovado que irmãos mais novos, e especialmente irmãs mais novas, se dirigem, na hora de pedir ajuda, consolo ou afeto, com maior freqüência às irmãs mais velhas do que aos irmãos mais velhos. Em geral, as irmãs mais velhas são também mais atenciosas e mais cuidadosas para com o irmão mais novo do que os irmãos mais velhos. Por algum tempo, isso pode até ser bom e encher de orgulho a criança mais velha, mas, a longo prazo, significa exigir demais dela. Mesmo crianças mais velhas não deixam de ser crianças e gostam de ser mimadas de vez em quando!

*As crianças mais velhas também são crianças e querem ser tratadas com carinho.*

Também os especialistas no assunto compartilham a minha opinião de que mimar uma criança significa que ela receba tudo o que deseja na hora. E, em princípio, não acham que mimar uma criança seja ruim. Ser mimada significa que a criança sente o amor, que tem a consciência de estar protegida e de que todos querem o melhor para ela; sendo mimada *dessa maneira*, a criança se torna forte.

Em algumas famílias com dois filhos, geralmente um é o "filho do papai" e o outro, o "filho da mamãe". E, na verdade, não há como suprimir totalmente as simpatias por um ou outro dos filhos, mas de modo algum você pode deixar que essa perspectiva se torne uma realidade estável. Uma das regras mais importantes para a convivência numa família é que os limites entre as gerações nunca podem ser ultrapassados. Em caso de filhos de sexos diferentes, se mãe e filho se aliarem contra pai e filha, ou o contrário, o resultado não pode ser bom! Se houver atribuições desse tipo, intervenha conscientemente, fazendo, por exemplo, um passeio a dois com a criança "menos simpática" ou ficando sentada, à noite, por mais tempo na cama dela, escutando-a. Essa criança também precisa de você!

Quem tiver duas meninas, em breve terá provavelmente a alegria de ver as duas brincarem juntas e unidas, o que poupa aos pais problemas e irritações. Um menino e uma menina, em geral, não brincam juntos tão bem.

Se vocês permitirem a cada uma das meninas desenvolver a sua singularidade e aceitarem-nas como elas são, as brigas entre elas não ultrapassarão um certo limite.

Numa família com três ou mais meninas, e sem meninos, é muito provável que uma das meninas assuma o papel do menino. Essa criança desenvolverá uma série de características masculinas, porque está se esforçando, inconscientemente, para substituir o filho homem ausente.

Se vocês sofrerem por não ter nenhum menino, é melhor conversar sobre isso com as suas filhas quando elas tiverem idade para compreender, em vez de continuar a sofrer calados por causa dessa "falta". Vocês podem dizer, por exemplo: "Sim, nós gostaríamos de ter tido um menino também. Mas agora temos meninas saudáveis e é bom assim. Nenhuma de vocês deve fingir ser um menino. Do jeito que são, vocês são maravilhosas, e tudo está ótimo". As crianças sentem muito bem os pensamentos mais íntimos dos pais e sempre se esforçam para fazer a vontade deles, mesmo que, numa análise superficial, muitas vezes não se note essa atitude.

Se a segunda criança for um menino, sua filha terá, desde pequena, a possibilidade de estudar o gênero masculino, aumentando a sua competência como ser humano. A reação de vocês, pais, a esse menino influenciará perceptivelmente sua filha. Por exemplo, se o menino for visivelmente preferido à irmã desde o começo, ou se ele for o queridinho de todos – crianças assim existem! –, sua filha terá dificuldades em assumir a própria feminilidade. Mas se vocês conseguirem transmitir a cada criança a sensação de ser, com todas as suas características, amada e reconhecida, a vida familiar de vocês se desenvolverá em harmonia. Obviamente haverá muitos conflitos, mas geralmente eles poderão ser resolvidos, porque existem as condições básicas certas.

*Os ciúmes entre seus filhos não devem ser suprimidos, mas aproveitados como um motivo para conversas francas.*

Caso vocês tenham um menino como filho mais velho seguido por uma menina, a menininha tem a sorte de "ter" um irmão mais velho. Porém, será uma sorte somente se esse menino tiver o seu lugar reconhecido dentro da família, sem precisar lutar pelo amor dos pais. Ter ciúmes é um sentimento compreensível e justo. Não é bom suprimir o ciúme, ao contrário, é preciso falar abertamente sobre o assunto.

Se seu filho tiver o direito de sentir ciúmes e vocês o consolarem por causa disso, ele não sentirá necessidade de fazer gracinhas com a irmã às escondidas. Por exemplo, você poderá dizer a ele: "Eu sei que é difícil para você. Antes, eu tinha todo o tempo para você e agora tenho de cuidar também da sua irmã. Eu compreendo de às vezes você esteja com ciúmes. Isso é normal. Mas você precisa saber que só você tem olhos castanhos tão lindos. E só você consegue correr tão rápido. Você é bem diferente da sua irmã e eu amo cada um de vocês dois de um jeito muito especial. Assim como você ama papai e mamãe".

Se você tratar cada filho com atenção e respeito, valorizando as suas características, os dois aprenderão muito um com o outro, beneficiando-se com isso a vida inteira.

*Em cada problema está escondido um presente a ser descoberto.*

Caso vocês já tenham vários filhos homens e uma menina como caçula, sempre será algo especial. Isso não significa que ela tenha privilégios ou que seja tratada melhor do que os irmãos. Leia a esse respeito o conto de fadas dos Irmãos Grimm, *Os doze irmãos*.

O oposto obviamente também vale: caso vocês já tenham várias meninas, um filho caçula será algo especial.

## HISTÓRIAS DO CORAÇÃO

A seguinte história é verdadeira e deveria elucidar como um conflito é transmitido de uma geração para outra, até alguém se conscientizar do problema para resolvê-lo.

Uma mãe tem dois filhos. Quando está grávida do terceiro, ela procura uma quiromante. Ela aconselha que a mãe aborte, porque, com a chegada da criança, o pai iria embora. A mulher dá à luz uma menina saudável e, no mesmo ano, o pai morre, após uma cirurgia simples. A tristeza da mulher é sem tamanho e também a pobreza da família, por ter morrido a pessoa que sustentava a todos. A mulher tem de começar a trabalhar, e a menina fica sozinha durante o dia com os irmãos.

A menina ama os irmãos, sente a falta do pai e sofre com a mãe, que não dá conta da sua situação, trabalha demais e é devorada pelo ódio. Freqüentemente, a mãe bate nela e até a maltrata. A menina vai crescendo, mas chega a guerra, e os dois irmãos morrem. Quando adulta, ela busca, por muito tempo, um homem que se pareça com os irmãos. Depois de achá-lo, se casa com ele. Ela tem uma filha, a quem maltrata da mesma maneira como foi maltratada. De novo, mãe e filha são separadas por um ódio muito grande. Enquanto isso, a paz voltou e a pior fase da pobreza passou. A filha tem, então, condições de resgatar a relação com a mãe; ela começa uma terapia e escolhe uma profissão em que pode contribuir para a cura de outras pessoas. Enfim, dessa maneira, o círculo doloroso é rompido.

Em algumas famílias, não se fala sobre os que já morreram. As gerações seguintes esbarram com esses e outros segredos familiares e, se não forem desvelados e chorados, sofrerão com eles. Se você, na sua história familiar, esbarrar com pessoas expulsas, esquecidas ou mortas sem que ninguém tenha chorado por elas, procure ajuda para dar a essas pessoas um lugar adequado no seu coração.

Para os pais, mais do que para outras pessoas, é importante saber que o destino não pode ser moldado conforme a nossa vontade. Nunca poderemos ter sob o nosso controle toda a plenitude da vida. Por isso, tenho de deixar sem resposta algumas perguntas que me são feitas. São perguntas difíceis que, freqüentemente, nos acompanham por muito tempo, sendo um verdadeiro quebra-cabeça:

- Para quando devemos planejar um segundo filho?
- Nossa filha está sendo prejudicada pelo irmão que tem uma deficiência?
- Já temos três meninas e eu queria tanto um menino! Como posso lidar com isso?

Eu acho melhor descobrir o presente que está escondido em todo problema. A vida é como ela é, mas o que você fará dela – isto é com você.

# Capítulo 7

# Terminando

No momento em que você está lendo este livro, minha filha já é quase adulta. Repensando o dia do seu nascimento e seguindo pelo caminho da sua vida, sinto um autêntico deslumbramento. Olhando para trás, vendo a nossa convivência, descubro a personalidade única que ela trouxe ao mundo e que ela vem desenvolvendo até hoje.

Nos primeiros anos, a nossa relação era muito intensa: eu parei de trabalhar por um ano e curti muito ser "somente" mãe. Isso só foi possível graças a uma amiga que me deu um apoio financeiro. Eu lhe serei eternamente grata.

Depois, deixava minha filha por quatro horas diárias com uma família amiga, onde ela convivia com algumas crianças. Ela gostava de ficar lá e a nossa relação continuou a ser boa também durante aquele período. Eu continuava a amamentá-la, principalmente à noite.

Até chegar à idade escolar, minha filha não conseguia dormir a noite inteira e precisava de alguém que a acompanhasse na hora de dormir. Ela mantinha uma boa relação com a avó e por isso eu pude voltar a exercer a minha profissão, dando cursos de especialização, sem ter muitos problemas. Conforme a previsão de algumas pessoas, essa "criança mimada" nunca iria ser uma pessoa independente. Já com três anos de idade e continuando no peito da mãe! Mas eu realmente não poderia ter me comportado de outra maneira. Eu tive que seguir os meus sentimentos.

Aos três anos, ela entrou num jardim-de-infância em Berlim. Muitas lembranças bonitas, uma almofada de seda toda colorida e, como presente de despedida, um álbum de fotos todo desgastado de tanto olhá-lo a vêm acompanhando até hoje. Foi lá também que ela encontrou as primeiras amigas.

Eu vivia brigando com minha filha desde que ela deu os primeiros passos. Lembro-me até hoje de como ela me bateu, com os punhos cerrados, quando encontramos aquela sorveteria fechada! Entretanto, nós duas sempre sabíamos – e continuamos sabendo até hoje – que nunca uma poderá ficar realmente magoada com a outra. Com todas as diferenças que existem, a ligação entre nós é simplesmente forte demais.

Depois da nossa mudança para o norte da Alemanha, na divisa com a Dinamarca, a nossa vida mudou também, especialmente para minha filha, que na época tinha quatro anos; mas mudou para melhor. A vida com os animais e junto da natureza foi, visivelmente para ela, uma alegria só. No início, ela se recusou a ir para o novo jardim-de-infância e depois de acompanhá-la até lá, eu tive que dar-lhe razão. Então, ela ficava em casa e conseguia brincar sozinha, enquanto eu trabalhava em casa. Mais tarde, quando chegou uma nova diretora para o jardim-de-infância, tudo mudou para melhor e ela voltou a gostar de freqüentá-lo.

Àquela idade, minha filha era extremamente bagunceira. O seu quarto era um caos completo! Desde alguns anos, porém, ela tem um quarto muito bonito, pintado por ela mesma e bem arrumado, e mais, ela até arruma, com o maior prazer, os armários e as maquiagens das suas amigas e participa da faxina na nossa casa, recebendo pagamento por isso.

Mas os meus filhos também agem assim. De onde vem essa atitude deles? Não sei! Só fico observando. Como mãe, com certeza não contribuí em nada. Eu simplesmente acompanhei os meus filhos.

Eu aprendi a confiar em minha filha. Aos seis anos, ela pintou sozinha a sua bicicleta. Era uma coisa que ela precisava fazer! Até completar os dez anos de idade, eu ficava, à noite, por muito tempo, sentada na beirada da cama dela, cantando canções de ninar, porque ela gostava muito. Acredito que, através dessa segurança, foi possível ela ter tanta independência hoje. Nos anos seguintes, a minha parte de mãe se reduziu a um papel secundário. Para mim, uma imagem simbólica dessa situação é que ela conseguia ficar em pé em cima de um cavalo, galopando, de braços estendidos e com um sorriso no rosto. Essas imagens são inesquecíveis.

Hoje, minha filha tem quase quinze anos, me considera bastante supérflua e resolveu viver sozinha, por um ano, na França. No começo, me assustei bastante. Nenhum dos seus irmãos saiu do ninho tão cedo; mas ninguém podia prever isso.

Porém as coisas são como são. E eu deixo minha filha voar!

# Anexo

## Questionário de autoconhecimento

Siga a minha sugestão antes de começar a preencher este questionário: tire cópias das páginas seguintes. Assim você poderá, por enquanto, manter as suas respostas em segredo. Além disso, o seu companheiro também poderá responder às perguntas. Se você for um homem, terá que trocar, nas cópias, as palavras que contenham um sexo definido.

Quando você tiver respondido a todas as perguntas, chegando com isso a uma idéia mais clara sobre si mesma, poderá conversar com sua filha sobre o questionário. Essa conversa ficará, por muito tempo, gravada na sua memória.

- Quando eu era uma menina, a minha aparência física era

- As minhas roupas preferidas eram

- Eu tinha os seguintes brinquedos e jogava os seguintes jogos:

- Eu era uma menina comportada, agitada, enérgica, autoconfiante. (Por favor, marque, risque ou complemente as características.)

- Eu achava bom ser uma menina, porque

- Eu achava difícil ser uma menina, porque

- Quando menina, não me era permitido

- Eu tinha as seguintes tarefas e obrigações:

- Eu queria ser como

- O meu sonho era

- Na minha fantasia, eu pensava muito em

- Não esqueci até hoje a seguinte observação que me magoava muito:

- Eu ficava muito triste quando

- Eu achava muito legal

- O que mais me fazia rir era

- Tenho dificuldades com os seguintes sentimentos:

- Neste momento, eu gostaria de

- Nas seguintes situações, o meu comportamento é tipicamente feminino:

- Em você, minha filha, eu gosto de

- Eu desejo que você

- Eu fico feliz que você

# Conheça também outros livros da FUNDAMENTO

## CRIANDO BEBÊS

*Howard Chilton*

Os nossos bebês são nossa imortalidade, aqui e agora. Eles também são a melhor experiência disponível de crescimento pessoal. Criar bebês é uma parte essencial da existência.

## CRIANDO MENINOS

*Dr. Steve Biddulph*

Quem tem meninos hoje está preocupado. Toda hora eles enfrentam problemas. Os pais gostariam muito de entendê-los e de ajudá-los a serem amáveis, competentes e felizes. O livro discute de forma clara, leve e emocionante as questões mais importantes sobre o desenvolvimento de um homem, do nascimento à fase adulta. Para mães e pais de verdade.

# Conheça também outros livros da FUNDAMENTO

▶ CRIANDO FILHOS

*Steve e Shaaron Biddulph*

Experientes e inspiradores, os autores oferecem exemplos práticos e bem-humorados de como aproveitar ao máximo os primeiros anos de desenvolvimento de seus filhos.

CRIANDO FAMÍLIAS ◀

*Dr. John Irvine*

Nosso envolvimento com a vida profissional, o dinheiro e o dia-a-dia não nos deixam ver as necessidades que as crianças têm de diversão e convívio com a família. A boa notícia é que as famílias que se divertem juntas tendem a manter-se juntas e são bem mais felizes.

▶ CRIANDO MOMENTOS MÁGICOS com seus filhos

*Steve Biddulph*

Um guia estimulante, envolvente e prático para pais e mães muito ocupados, mas comprometidos com o futuro de seus filhos.

EDITORA
FUNDAMENTO

www.editorafundamento.com.br
Atendimento: (41) 3015 9700

## DOMANDO SUA FERINHA

*Dr. Christopher Green*

Domando sua ferinha fará você redescobrir o prazer de educar filhos. Objetivo, sincero e prático, o autor faz enorme sucesso com suas orientações sobre o dia-a-dia das crianças.

## DOMANDO SUA FERINHA 2

*Dr. Christopher Green*

Como educar seu filho que está na fase dos 5 aos 12 anos? Como passar conceitos de moral e comportamento em fases tão distintas como a pré-escola e a pré-adolescência? Com delicadeza e criatividade, Christopher Green mostra o caminho para resolver esses e outros dilemas que povoam a cabeça dos pais. Um livro indispensável para formar adultos responsáveis, bem-sucedidos e felizes.

GRÁFICA EDITORA
Pallotti
IMAGEM DE QUALIDADE
Santa Maria - RS - Fone/Fax: (55) 3220.4500
**www.pallotti.com.br**